RODRIGO QUEIROZ
EXU DO OURO
CONSCIÊNCIA PRÓSPERA

academia

Copyright © Rodrigo Queiroz, 2017
Copyright © Editora Planeta do Brasil, 2017
Todos os direitos reservados.

Preparação: Thais Rimkus
Revisão: Amanda Oliveira e Ceci Meira
Diagramação: Maurélio Barbosa | designioseditoriais.com.br
Capa: Estúdio AS
Imagem de capa: Rodrigo Queiroz

CIP-BRASIL. CATALOGAÇÃO NA PUBLICAÇÃO
SINDICATO NACIONAL DOS EDITORES DE LIVROS, RJ

Q47c

Queiroz, Rodrigo
    Exu do ouro: consciência próspera / Rodrigo Queiroz. - 1. ed. - São Paulo: Planeta, 2017.

    ISBN 978-85-422-1195-5

    1. Umbanda 2. Cultos afro-brasileiros. I. Título

17-45292
CDD 299.672
CDU 259.4

Ao escolher este livro, você está apoiando o manejo responsável das florestas do mundo

2023
Todos os direitos desta edição reservados à
Editora Planeta do Brasil Ltda.
Rua Bela Cintra, 986 – 4º andar
01415-002 – Consolação – São Paulo-SP
www.planetadelivros.com.br
faleconosco@editoraplaneta.com.br

"PROSPERIDADE
é Consciência,
Abundância é
CONSEQUÊNCIA"

Este livro é parte integrante e material fundamental do
Treinamento Exu do Ouro, ministrado pelo autor deste livro.
Para saber mais, acesse: www.exudoouro.com.br

Thaís Helena Queiroz, *minha esposa amada, sem nosso encontro, nada disso existiria. Profunda gratidão pelo amor dedicado e tudo que juntos aprendemos e construímos com esta força divina.*

SUMÁRIO

PREFÁCIO 9
PRÓLOGO 19
APRESENTAÇÃO 21
INTRODUÇÃO 23

CAPÍTULO 1 "SURGIMENTO" DE EXU DO OURO 27
CAPÍTULO 2 A FONTE 33
CAPÍTULO 3 O ALICERCE 57
CAPÍTULO 4 PILAR EMOCIONAL 87
CAPÍTULO 5 PILAR MENTAL 113
CAPÍTULO 6 PILAR ESPIRITUAL 131
CAPÍTULO 7 PILAR MATERIAL 151
CAPÍTULO 8 DESPERTO 183

ORAÇÃO DE CONEXÃO COM EXU DO OURO 205

PREFÁCIO

Em 1997, ao publicar a primeira edição do livro *As sete linhas de Umbanda, a religião dos mistérios*, Rubens Saraceni revela pela primeira vez a questão dos Orixás enquanto divindades de Deus, identificados como Tronos Maiores e regentes de Tronos Menores. Desta forma, se identifica Oxum como um Trono Maior Mineral (Oxum Maior), regente de outros tronos menores. Entre eles, Pai Benedito de Aruanda cita Sete Tronos Menores Minerais (Sete Oxuns), regentes de outros milhares de oxuns naturais que acompanham seus médiuns sob a mesma irradiação, o mesmo nome.

As Sete Oxuns que Rubens Saraceni e Pai Benedito de Aruanda citam são:

Oxum das Cachoeiras
Oxum das Fontes
Oxum do Ouro

Oxum da Prata
Oxum do Arco-Íris
Oxum das Pedras
Oxum do Coração

Existem muitas outras Oxuns, mas essas sete ganham destaque neste estudo em específico. E aqui para nós o que mais importa é Oxum do Ouro.

A qualidade maior de Oxum é ser agregadora, conceptiva, que atua na fertilidade, na força atrativa em todo o universo, como o magnetismo que atrai tanto na realidade material de um ímã, ao magnetismo pessoal de cada um, bem como o que atrai ou agrega do microuniverso subatômico até o macro dos universos paralelos. Essa energia atrativa tem uma relação ampla com muitas coisas, Oxum é também regente da beleza, da delicadeza e do canto; o que é belo atrai, assim como a delicadeza inspira cuidado e o canto encanta a todos que se deixam seduzir por sua melodia.

Oxum tem esse poder de realização em nossas vidas, Oxum tem o poder do amor, ou poderíamos dizer que Oxum é o próprio Amor Divino, Ágape, realizando algo que vai além de nossa compreensão tão racional. O amor atrai, o amor agrega, o amor fecunda, o amor fertiliza, o amor concebe, o amor alegra, o amor colore, o amor traz consigo algo tão forte e realizador que todos que são tocados profundamente por ele se tornam, no mundo material, muito prósperos. São pessoas de uma energia que agrada a todos, que atrai outras pessoas, que todos querem por perto, que onde tocam levam beleza, sutileza, cor, brilho e luz.

O amor é algo tão forte e tão sublime que é um dos atributos principais pelo qual Deus é conhecido: Deus é amor. Em hebraico se chama *Ahava*, Amor Divino, que é também um dos atributos de Deus. No Alcorão, entre os 99 nomes ou atributos de Alá, temos *Al-Wadud*, aquele que ama, da mesma forma encontramos em todas as culturas divindades do amor como Afrodite, Vênus, Lakshmi, Freyja, Hathor, Graças etc.

A Oxum do Ouro traz todas essas qualidades e abre um campo de atuação representado pelo ouro ou pelo dourado, no qual se faz presente em tudo e em todos por meio de uma energia, vibração, ação e função específica na criação e em nossas vidas. Ela, Oxum do Ouro, é regente de dimensões onde estão todas as oxuns do ouro que acompanham e se manifestam em seus médiuns. Dessa dimensão ou realidade provém a energia "aurífera", um fluxo dourado que flui por meio do prana e que é absorvido principalmente pelo chacra básico, chacra sexual e chacra umbilical. Energia essa reguladora de hormônios, sexualidade e relação entre espírito e matéria, que se concretiza nesse chacra básico. Ali onde dorme a serpente do arco-íris, a Kundalini, serpente de fogo, também é recebida a energia dourada que faz a serpente de fogo transmutar em arco-íris e tornar-se a serpente dourada ao alcançar o topo da coroa, na qual a cor dourada representa o que há de mais rico em espiritualidade.

O Ouro da Oxum do Ouro representa tudo isso e muito mais, representa o amor como ouro da vida ao mesmo tempo em que é realeza e prosperidade. Não à toa, em culturas mais antigas se vê cetros e coroas feitos de ouro e adornados de pedras preciosas, tanto o ouro como as pedras preciosas pertencem a Oxum e representam a proteção à coroa mental e chacra coronal dos reis e rainhas com seu poder simbolizado no cetro.

Tudo isso aprendemos sobre Oxum do Ouro com Rubens Saraceni e, no ano de 2000, ao ministrar sua primeira turma de Sacerdócio de Umbanda, o Mestre abriu o mistério do Exu do Ouro, o Exu que trabalha à Esquerda da Oxum do Ouro, o Exu Guardião dos Mistérios da Oxum do Ouro. A partir desse momento, eu e muitos outros irmãos recebemos a imantação e a outorga de trabalhar com esse mistério por meio de culto, oferendas e manifestação do mesmo em nosso campo mediúnico. O impacto foi tão grande da presença desse Exu que, em pouco tempo, muitos irmãos fizeram suas firmezas, chamaram o mistério e abriram cultos para trabalhar com seu Axé, poder de realização.

De tudo o que eu vi até agora, desde que Rubens Saraceni, meu Mestre, abriu o mistério Exu do Ouro, nada se iguala ao que vemos aqui na obra de meu irmão Rodrigo Queiroz, que teve a oportunidade de ter um contato direto e legítimo com Exu do Ouro por meio da mediunidade de sua esposa, Thaís Helena Queiroz, e depois de forma direta com um dos Exus do Ouro, que respondem a esse mistério. Além do culto à Exu do Ouro, o que vemos são médiuns muito preocupados com firmezas e oferendas para se conquistar algo. Quando se fala em ouro, todos pensam em riqueza, emprego, salário, dinheiro, prosperidade gratuita, tudo como um passe de mágica, algo que um Exu faz por você de fora para dentro. Algo mágico, como dinheiro entrando em sua conta de forma inesperada, pessoas te procurando para te oferecer o emprego de seus sonhos ou ainda suas dívidas perdoadas.

Todos querem soluções mágicas e não têm a menor ideia do que é a magia ou a Arte Real em suas vidas. Com certeza, se a gente buscar um olhar mágico para Exu do Ouro, vamos nos lembrar do Elixir da Longa Vida e a Pedra Filosofal dos Alquimistas, os praticantes de Magia Alquímica. Enquanto milhares de materialistas no mundo todo procuravam a fórmula ou o elemento mágico que faria transformar o chumbo em ouro, todos os Mestres mais avançados na Arte Real sabiam que aquilo que se transforma em ouro é você mesmo, e que alcançar a imortalidade é transcender a vida material e descobrir-se eterno em espírito. O amor lhe propicia isto, transformar-se a si mesmo em ouro e obter a imortalidade.

Para mim, Rodrigo Queiroz é o grande alquimista iniciado nos arcanos maiores do mistério Exu do Ouro, e nos convida a todos para iniciar o que há de mais nobre e verdadeiro da Arte Real, transformar a si mesmo. Exu do Ouro vem para transformar sua vida de dentro para fora, vem para alcançar o seu ser, sua alma, seu coração e mente, seu espírito, sua carne e vida com uma nova consciência. Descubra o que é isso, deleite-se com essa oportunidade, entregue-se a algo maior que você mesmo e aceite a entrada desse mistério em sua vida de dentro para fora. "Muitos são chamados, e escolhidos são os que aceitam e se dedicam a algo maior", essa é uma porta que se abre do lado de dentro do seu ser, em sua consciência, e daí não há limites para seu alcance.

Boa leitura a todos e parabéns ao meu irmão na fé, amado amigo Rodrigo Queiroz, por mais esta obra que nos é cara e preciosa, como o ouro da vida.

Alexandre Cumino
Bacharel em Ciências da Religião, médium e sacerdote de Umbanda, responsável pelo Colégio de Umbanda Sagrada Pena Branca (www.colegiopenabranca.com.br) e autor de diversos títulos de Umbanda.

"A estrada é longa, mas não estou sozinho, vai na minha frente um Exu valente, abre meus caminhos..."

PRÓLOGO

Exu do Ouro tão surpreendentemente entrou em minha, em nossas vidas e tão incrivelmente ele permaneceu.

Ele não é para mim apenas um Guardião que ampara minha mediunidade na Esquerda, ele é mais que isso, ele é um presente, ele é aprendizado, ele é vivência, ele é consciência. Ele é Umbanda fora e dentro do terreiro, fora e dentro de nós.

Quando me dei conta, Exu do Ouro estava mais nele do que em mim. Estava nos passos, nos olhares, nas mudanças, nas direções, nas mudanças de direções.

O lado bom dos conflitos é que eles nos tiram da zona de conforto e nos convidam a revisitar o que realmente nos importa. Tudo muda tanto o tempo todo, como podemos ficar parados nos mesmos conceitos e regras que a gente mesmo criou?

Exu do Ouro é desafiador. Algo que nos foi fundamental para nos transformar, para nos fazer flexíveis, para nos fazer mais plenos e assertivos em nossas decisões e ações.

Exu do Ouro é Guia, Pai, orientador, aqui em casa, dentro de nós, e é tudo tão intenso, que a vontade de se aprofundar se torna cada vez maior. Nos aprofundar mais em nossos padrões, e quem sabe, transformar as nossas relações mais preciosas. E preciosos são os ensinamentos que essa força nos traz.

Não vai ser nada fácil, mas muito, muito transformador.

Minha eterna gratidão ao Exu do Ouro, pelo amparo, pelo amor, por tornar vivo o fluxo prosperador em nossas vidas, em todos os sentidos.

Minha gratidão a você, meu amor, por junto desse Guardião ser o Elo para nos trazer tantos conhecimentos, tantos aprendizados, tanta luz para nossos olhos.

Mojubá!

Thaís Helena Queiroz

APRESENTAÇÃO

Meu primeiro contato com Exu do Ouro foi através da mediunidade de minha esposa, Thaís, em 2007.

Eu conduzia o desenvolvimento mediúnico dela quando, na primeira manifestação de Exu, foi este Mestre que se manifestou e me surpreendeu quando questionei seu nome.

Naquele momento era algo novo, já tinha ouvido falar, mas não tinha informações sobre ele e nem havia tido qualquer contato com esta falange.

Foi quando comentei com meu irmão Alexandre Cumino sobre este Exu, e ele me contou sobre a chamada desta falange no Sacerdócio ministrado pelo Mestre Rubens Saraceni.

Continuei dedicado ao desenvolvimento mediúnico da Thaís e este Exu estabeleceu uma grande intimidade comigo, ele era diferente dos demais e as abordagens dele sobre nossa vida eram sempre surpreendentes. Logo criamos um elo de discípulo e Mestre, cada vez mais eu buscava seus conselhos e sempre que era pontual, sua orientação e sabedoria descortinavam para nós novos horizontes.

Depois de alguns anos, ele avisou que se recolheria e outro Exu assumiria a mediunidade dela para o trabalho prático de atendimento mediúnico. Explicou nesta ocasião sobre uma **particularidade desta linhagem,** que revelarei adiante nesta obra.

Nesse processo tive a honra de ser agraciado com um falangeiro Exu do Ouro em minha Esquerda e mediunidade que passou a ser um elo mais ativo com este mistério divino.

O que vivi desde 2007 até este ponto, mais de uma década de aprendizados, treinamentos, desafios e assimilações, é refletido em minha vida em todas as dimensões do que sou e pertenço.

É com imensa gratidão que posso transformar o resultado disso num treinamento para uma vida plena, e parte disso está organizado nesta obra, que é verdadeira e a mais honesta oferenda que dedico ao Senhor Guardião da Fonte e do Fluxo Prosperador – Exu do Ouro.

Você, leitor, receba esta obra como um tributo ao amor!

Boa viagem ao eixo de si, mergulhe e boa leitura.

Mojubá,

Rodrigo Queiroz

INTRODUÇÃO

*"Saravá Umbanda, Axé, Mojubá,
Laroyê Exu, Exu Omojubá.
Laroyê Exu, Exu Omojubá. Laroyê Exu, Exu Omojubá.
Exu Saravá, Exu. Salve Exu do Ouro."*

Quer saber quem é Exu do Ouro? Vamos conhecer mais dessa linhagem de Exu, essa força que trabalha à Esquerda de mãe Oxum e que, nas últimas décadas, vem despertando um grande interesse dos Umbandistas para maior compreensão.

Esse interesse acontece de uma forma muito intuitiva na coletividade Umbandista, diferenciando assim esse momento do fiel em direção ao contato com essa falange de Exu, diferente do que aconteceria com qualquer outra falange.

Normalmente nós estabelecemos reverência e culto, uma relação direta com aquele Exu que nos acompanha, à nossa Esquerda, que é o Exu que nos ampara, que incorporamos ou que o chefe do terreiro, da Mãe ou Pai de Santo manifesta.

No entanto, tem uma coisa curiosa que acontece com Exu do Ouro, que é despertar o interesse, uma atração de fé, de todos os Umbandistas que começam a ter contato com essa força, sem que necessariamente seja ele um Exu que está em sua mediunidade.

Esse fato abre um precedente dentro da religião, uma nova forma de se relacionar com uma linha espiritual dentro do convencional. Não é novo no sentido de que pode se desconfiar, mas é um entendimento, que nós temos nossa linha espiritual, nós incorporamos nossos guias, nossos Exus, Pomba Giras, mas podemos estabelecer reverência, culto, manejo, firmeza, com uma Linha, força espiritual, que não está em nós.

E que talvez isso faça até mais sentido, porque aquilo que está em você está no seu dia a dia, está no seu corpo, espírito, consciência, nas suas emoções. Mas, quando precisamos fazer um ritual, pedir por algo, meditar, chamar uma nova força específica. Talvez, naquele momento, o que não faz parte de nós faça mais sentido para estabelecer um culto.

Estas primeiras palavras são uma sugestão para que você comece a reconsiderar a cultura popular de como devem ser as coisas dentro da religião e que, muitas vezes, isso "engessa" uma possibilidade de fluência das diretrizes da espiritualidade com maior tranquilidade.

Exu do Ouro é uma força poderosa, divina, que atua a partir da Esquerda de Mamãe Oxum no plano físico de forma intensa, constante, específica e é muito característica do plano material; essa energia que permeia todos os indivíduos, que está assentada no mistério do Trono Exu do Ouro, ou simplesmente Guardião Planetário da Prosperidade.

Há algo que nos une agora, que é o interesse em algo que vai além da vivência de fé, de culto, de reza e devoção. Há uma magia que nos atrai agora a uma força que nos envolve e um Axé que começa a se estabelecer na minha e na sua vida.

Então, mente e coração abertos e, acima de tudo, com interesse de marcar sua vida com marco fundamental entre o antes e o depois de você ter tido contato com essa experiência única.

Teremos aqui a oportunidade de entender, não somente por curiosidade, sobre o que é esse tal de Exu do Ouro, para que possamos avaliar uma série de comportamentos, de posturas, de como nós nos relacionamos com a ideia do que somos e do que entendemos por prosperidade, abundância, fartura, sucesso e como agimos diante dela, no sentido de bloquear ou abrir as portas para que uma energia mística, um Axé poderoso, impulsione ou não as nossas vidas.

"Salve Exu do Ouro, Exu do Ouro é Mojubá
Salve Mamãe Oxum, Oraieiê Mamãe Oxum"

CAPÍTULO 1

"SURGIMENTO" DE EXU DO OURO

Na primeira turma de Sacerdócio do Colégio Umbanda Sagrada Pai Benedito de Aruanda, ministrado pelo Pai Rubens Saraceni, em SP, na iniciação de Oxum e apresentação do Orixá Oxum, na hora de virar à Esquerda de Oxum, essa linhagem se apresentou, se manifestou na corrente dos Exus do Ouro.

Parecia que era algo novo, mas isso não quer dizer que não existia Exu do Ouro nos terreiros, já existia, só não havia organização e entendimento que era um grupo grande de espíritos.

Naquele momento em que se manifesta a corrente de Exu do Ouro naquele grupo de médiuns que estavam sendo iniciados pelo Pai Rubens Saraceni, alguns criaram uma afinidade muito grande com essa força espiritual e começaram a incorporar o trabalho a essa Entidade, falange, e a estabelecer um culto nos seus terreiros.

Há notícias de pessoas que já trabalhavam com Exu do Ouro muito antes de começar a se popularizar o entendimento, o que é muito comum na Umbanda. Umbanda é isso, uma estrutura que se manifesta simultaneamente no mundo, no planeta, mais especificamente no Brasil, e nem sempre as coisas estão conectadas.

As pessoas não precisam se conhecer para o trabalho da espiritualidade se manifestar. Existe uma Linha de Exu, falange de Exu antiguíssima, que é conhecida como Exu Chama Dinheiro. Então, não podemos dizer que a Linha Exu do Ouro é a mesma que a Linha do Exu Chama Dinheiro, mas, no mínimo, sabemos que são duas falanges que trabalham no mesmo mistério, trabalham juntas.

O que eu quero pontuar aqui? É que não há nada de novo. O que é novo é o debruçar, a reflexão, o entendimento do que vem a ser a linha, o trabalho, o campo de atuação da falange.

Vamos saber agora como eles atuam no ser humano, no planeta, no plano físico, qual é o mistério de Deus por trás disso.

Porque nós temos essas concepções que nos colocam em uma relação com o dinheiro de uma forma muito ruim, de difícil compreensão e assimilação, vamos também atravancando uma energia que transcende o dinheiro, a moeda, mais a energia que faz o movimento das coisas, das relações sociais humanas acontecerem.

Precisamos mudar a realidade dentro da Umbanda, que é um afastamento de uma vida próspera e abundante. A partir do momento que se dissemina a ideia de que o simples é o miserável, que humilde é aquele que nada tem, aquele que nada possui, e que esse quadro de miséria e ignorância é o que torna alguém mais divino ou evoluído, confundindo o sentimento de pena com admiração.

CAPÍTULO 2

A FONTE

"É ouro, é ouro, é ouro, é ouro, é ouro
Saravá sua riqueza, Laroye Exu do Ouro
Quem não conhece seus mistérios,
vem aqui, agora eu quero ver
Ele vem trazendo sua riqueza, vem trazendo sua
magia, para seus filhos proteger"

Vamos trabalhar para o despertar de uma consciência, de um padrão de comportamento, de pensamento, de sentimento, de vida espiritual e material onde você poderá tornar ativa a sua prosperidade.

Exu do Ouro não é Exu de Trabalho[1] comum. É possível que ocorram eventualmente casos de médiuns que tenham Exu do Ouro atuando assim, no entanto não é comum. Ele atua em outra dimensão do ser humano, que está na consciência,

---

1. Exu de Trabalho: aquele que se manifesta na mediunidade rotineiramente nas giras para atendimento público, dando aconselhamento, quebrando demanda, aplicando passe.

no comportamento e que precisa ser alinhada a ele. Então, por exemplo, se você é um indivíduo que tem uma mente muito tacanha, um comportamento tacanho com o dinheiro, com a profissão e relações sociais, Exu do Ouro não vem. Se você tem uma postura de miserável perante a vida, Exu do Ouro não vem. Se você é #ostentação, Exu do Ouro não vem. Então, ele caminha com aqueles que, se não têm muita clareza, ao menos se esforçam para o equilíbrio. Se você acha que para evoluir precisa abrir mão de tudo da materialidade, Exu do Ouro não vem. Ele não aceita desaforo e não aceita ignorância. Exu do Ouro é clareza, consciência, atitude, vida prática.

Antes de você se preocupar em construir uma nova realidade, uma atmosfera prosperadora, tornar-se um novo indivíduo que faz fluir a partir de si o **fluxo prosperador**, é preciso saber que é necessário desconstruir o que já está aí e que impossibilita a consolidação de uma nova realidade.

Você já é algo, alguém, já está posta em você uma cultura, um padrão de comportamento, o que é pior. Já está em você uma série de conceitos, então você precisa revê-los, vou te ajudar a fazer uma autoanálise, e se tudo o que eu disser aqui você tentar ver onde acontece e pode a partir daí, então, fazer uma avaliação do que é efetivo, relativo e pertinente nesse contexto.

Ao final desta leitura e de diversas reflexões, teremos então construído um comportamento próspero daquele indivíduo que tem uma consciência plenamente próspera. Ou seja, ele já alinhou o ser em todos os seus corpos, em todas as suas dimensões e trouxe essa consciência una, alinhado a isso que está na base de Oxum e Exu do Ouro.

Com isso posto, já percebemos por onde vamos caminhar e são páginas de reflexões e descortinamentos específicos nas várias dimensões que compõem o seu ser. Para compreendermos o que é **Fonte da Consciência Próspera**, nós antes precisamos desconstruir no seu padrão de comportamento, pensamento, sentimento e espiritual o que é antipróspero e que vai contra tudo isso.

O que vai contra tudo isso, por exemplo? Uma cultura já imposta, não imposta de forma ditatorial, entretanto, está no DNA de todos nós. Se você nasceu no Brasil, vive no Brasil, é normal que tenha concepções, uma consciência, uma convicção de mundo, de vida, de espiritualidade, que te afasta disso que estamos buscando aqui agora. Por exemplo, nós temos uma cultura religiosa, como estamos no âmbito religioso, é isso que nos conecta, nós somos um país intensamente Católico, e não só em números, como o país mais Católico do mundo, não somente nesse sentido, mas também na questão cultural. O Catolicismo está em nossas legislações. Em nossa Constituição, evoca-se Deus, e essa evocação é Católica, não é Olorun. Não é a perspectiva Deus Afro-Brasileira, Africana ou Oriental, não.

O que quero dizer? É muito forte, está em nossas entranhas. Há um vulto cultural de crenças, comportamental, moral, que está em nossas vísceras, você não tem muita consciência disso, você simplesmente vive assim porque viu seus pais serem assim, avós, as pessoas que você conviveu, você cresceu com isso. Parece besteira, mas veja, quando alguém contar algo para você e você se surpreende, talvez você se expresse assim: Ave Maria, ou Vixe Maria. O Vixe, na verdade, era Virgem. Isso prova o quanto está enraizada essa cultura, você não tem muito controle. É preciso um despertar mesmo, olhar pragmaticamente. Sabe o que é pragmaticamente? É sim ou não, pontualmente, sem firula. "Verdade, eu falo Vixe Maria", por que Maria? Maria tem qual impacto em você? O que está por trás do Vixe Maria? Vou te dizer, por exemplo, o que está por trás. Isso é dominação velada.

Uma vez ouvi algo de um padre que foi meu professor na faculdade de filosofia, conversávamos muito sobre religião, muito da Umbanda, ele falou assim: "É o seguinte, no final vocês são nossos, Umbanda é do Catolicismo, é da Igreja Católica, porque enquanto vocês colocam nossos Santos lá, entenda, eles estão acima de seus Guias, então é nossa identidade, nosso poder. É a Igreja acima de vocês".

Eu nunca tinha visto dessa forma tão perversa, e ele tinha razão, simbolicamente. Ele não tem razão em nosso campo de Fé, mas simbolicamente, na mensagem social: aqui, acima de tudo, está a igreja Católica, está o dogma, a verdade Católica. Subordinados a nós estão estes espíritos, Pretos Velhos, Caboclos. Mas a hora que a coisa aperta, eles ajoelham e rezam para nós, porque estamos aqui olhando. O Vixe Maria, entenda, está nesta dimensão Católica, de poder, de dominação e de influência. Não é modo de dizer, está aí em você. Então é modo de dizer, modo de ser, gíria. Gíria define muito as pessoas, vocabulário e compreensões.

Reflita sobre isso. Esse é um ponto de partida aqui de nossas provocações. O que eu quero dizer? Vamos tentar trabalhar desse micro, dessa vírgula que é o Vixe Maria até a sua compreensão existencial, de evolução, transcendência, Deus. Temos que pegar tudo isso. Agora, você precisa estar disposto. Está disposto a parar de usar o Vixe Maria? Você vai substituir pelo quê esse cacoete, essa muleta, esse recurso de linguagem?

Está ficando claro aqui? É importante ficar claro, importante você compreender. Vou tentar agir com você paulatinamente, para que fique claro e não reste nenhum fio solto. Então, se você vem de uma família com qualquer veia cristã, não importa se é Espírita, Católica, Evangélica, o que quer que seja, você certamente ouviu muitas vezes fragmentos do Sermão da Montanha[2]: "Aquele que sofre será consolado, aquele que é pobre terá o Reino dos Céus, aquele que é o último será o primeiro", ou a clássica metáfora "É mais fácil um camelo passar pelo fundo de uma agulha do que um rico entrar no Reino dos Céus[3]".

Isso estraga qualquer alicerce próspero porque coloca-se a ideia de que o rico é pecaminoso, de que abundância é o pecado e que aquele que é abastado é pecador. Não se explica, neste caso, que se a sua riqueza for fruto de prejuízo ao outro é isso o que a torna algo negativo. Daí, por meio de uma lógica que vai se criando, simples. Um silogismo

---

2. Mateus 5:7.
3. Mateus 19:24.

simplório, fica a ideia de que riqueza é sinal de pecado, logo todo aquele que tem riqueza é pecador.

Nós temos isso, e se isso não está claro no seu dia a dia e você não fica pensando nessas coisas, não é algo que te atormenta, é algo que está na raiz de sua consciência e que fica no inconsciente, e isso traz uma ressonância vibratória que impede seu progresso, impede que você tenha uma plenitude consciencial próspera, que vem do seu espírito até seu pé. Que incorpora em você por inteiro.

Você terá que enfrentar esses conceitos. Se você está na Umbanda, mas veio do Catolicismo, você tem muito da mente Umbandista Católica. Se você é de um terreiro Cristão Católico, você sabe o que é isso? Cheio de imagem de Santo, eventualmente se reza o Pai Nosso, se reza o terço, se reza para os Santos. Se você vem dessa configuração, você vive uma Umbanda que pensa Catolicamente, que tem um pensamento Católico de vida. Provavelmente acredita em pecado, embora a Umbanda não creia em pecado, não dessa forma.

Se você vem do Espiritismo, você tem muito do Catolicismo porque o Espiritismo no Brasil é assentado na moral Católica. O *Evangelho segundo o espiritismo* é a Bíblia para o espírita e acaba sendo para o Umbandista com mentalidade Espírita. E por que eu digo que é Católico? Porque pela mesma forma que para o Catolicismo, enriquecimento econômico é um símbolo de pecado, para o Espírita você só evolui se você desmaterializa, desapegando, embora prosperidade não trate de apego. Por exemplo, Tio Patinhas não é próspero, ele é um acumulador ganancioso, postura essa que represa o fluxo, você irá entender. Mas a ideia é que se eu tiver prosperidade talvez eu não evolua por isso. Porque evolui mais aquele que passa necessidade, aquele que sofre, que purga[4]. Isso é pensamento Católico permeando o dogma, a verdade Espírita quando se trata de evolução. Está equivocado.

Enquanto você está aí, se martirizando, você não é promovido na empresa que trabalha, seu empreendimento não deslancha. Enquanto alimenta isso dentro de você, não adianta reclamar que seu amigo foi promovido e você não. Não adianta reclamar que você perdeu o emprego, foi o primeiro cortado da empresa. Não adianta reclamar que seu negócio não prospera, ele não pode prosperar porque senão você não evolui, entende? Ele não pode prosperar porque senão você vai para o inferno. Porque isso é o que pulsa dentro de você. E é um

---

[4]. Expurgo ou purga: é o processo de expurgar, expelir, expulsar ou eliminar algo no sentido de desfazer-se de um problema ou algo negativo.

conflito muito grande, porque ao mesmo tempo, você vive na materialidade, você é um ser material agora, vive em mundo concreto, físico, material. Você precisa de um medicamento que custa dinheiro, moradia, locomoção, estudo, saúde, proteção, dignidade. Então, não dá para negar a materialidade, e isso é Umbandista. Aceitar a materialidade e viver harmonicamente, expandindo sua condição material, é Exu do Ouro.

Exu do Ouro não acompanha aquele que repulsa, tem conflito com o ouro. É muito provável que você seja um dos muitos que vieram em busca deste livro achando que encontrará fórmulas, magias e mirongas para o sucesso, enriquecer, ganhar dinheiro, arrumar emprego. Não é isso. Será isso se você concluir a leitura e as reflexões com êxito. Garanto que se você obtiver êxito, dia após dia haverá uma grande mudança na sua vida. Isso não é profecia, engodo, mas algo que sei que é possível. Não é promessa também, não adianta me culpar porque que nada aconteceu. Se não aconteceu, a culpa é sua, não minha. Com isso, vá se avaliando nas próximas páginas.

Tenho certeza que você entendeu que talvez seja você esse indivíduo com a mente Católica na Umbanda, da mente Espírita na Umbanda. E é difícil.

Não adianta também ter mente Budista, Orientalista na Umbanda, porque também, dependendo, há uma negação de tudo. Já ouviu o termo: Umbanda é pé no chão? Pé no chão significa que nós tratamos do espírito, tratamos das coisas extrafísica, mas isso precisa ser alinhado, precisa ser um fluxo reto.

O mundo espiritual que se materializa no mundo concreto. Isso é Umbanda. Vivendo a Umbanda com a consciência, sentimento, conceito, Umbanda em plenitude.

Não desejo boa sorte, porque não se trata de sorte, você cria sua realidade, você cria sua sorte, você faz seu destino, você atinge seus objetivos, estabelece suas metas. Então desejo que, durante as próximas páginas, seus dias sejam ricos, prósperos e efetivos.

Agora, com toda essa conceituação, você talvez esteja com uma bola de pelo na garganta, espero que esteja. Não desejo e não gostaria que tudo o que eu disse até aqui seja óbvio para você, seja algo que você já superou. A ideia é que eu esteja entrando naquilo que é muito difícil para você, para que você tenha uma indigestão.

Armadilha da rede negativa

Vou contar para você como foi que comecei a tomar uma nova consciência. Na minha relação com Exu do Ouro junto com minha esposa – e com minha esposa significa todo o nosso relacionamento, significa todo o nosso matrimônio, nossas filhas. Viver com ela esses anos foi o processo de despertar, desconstrução disso tudo que estou falando. A coisa ficou constituída, ficou clara para mim, porque agora olho para trás e vejo um caminho próspero e de despertar. Caminhamos, nos comportamos, vibramos de forma próspera, em todos os sentidos, em nosso relacionamento, em nosso empreendimento, em nossa família, em nossas amizades, em nossa espiritualidade. Não é tudo junto, mas há um ponto em que começo a enfrentar minhas crenças equivocadas.

Meu filho mais velho tinha cerca de 2 anos e gostava muito de assistir desenhos, e eu comprava DVDs falsificados nestas bancas de camelô e acreditava realmente que estava em vantagem, afinal, pelo preço de um original eu comprava uns dez falsificados que "teoricamente" funcionavam igual. Acumulei centenas de DVDs. Numa certa ocasião, o Exu do Ouro me questionou por que eu comprava estes produtos falsificados e seguiu este diálogo:

— É muito caro o original, não tenho condições de adquirir tudo aquilo. Afinal de contas, nosso governo corrupto cria muitas tributações onerando demais nossas vidas, eu sou um cidadão simples e não consigo suprir todas minhas necessidades honestamente — respondi.

— E por que você não adquire somente o que pode, honestamente? — disparou ele.

Quando ele fez esta pergunta, me calei, fui tomado por um constrangimento imenso e tive muita vergonha. Isso abriu um buraco dentro de mim e percebi que havia algo muito errado em mim que eu não conseguia enxergar.

Particularmente, quando eu me deparo com comportamentos que são errados, mas não tenho a consciência de que são errados ainda, quando tomo consciência, me sinto muito envergonhado. Porque há muitas coisas que fazemos errado e que sabemos que está errado, então, nos preparamos para lidar com isso.

Quando não tenho consciência disso e passo a ter, fico muito mais envergonhado, até desesperado e me perguntando como eu estava na escuridão dessa forma e não me dei conta. Por que eu não consumo somente o que eu posso honestamente? Por que preciso caminhar na falsificação, na desonestidade, no crime, portanto, para ter? O que me faz ter essa necessidade? Por que eu preciso tanto a ponto de não cumprir com a legitimidade? Afinal, o que eu aprendo no terreiro? Porque esse é o impacto. Quais os valores que sua religião te transmite? Já ouviu falar em honestidade? Em ética? Em verdade? Você é honesto somente no que convém ou no que é possível? Mas quando convém não ser honesto, tudo bem? Não há argumento para isso, não há desculpa. Ele me disse: "Exu do Ouro não está onde não há honestidade". Quem compra um CD pirata não tem Exu do Ouro, não poderá ter. Não irá fazer essa amizade.

"Você era ignorante sobre isso, agora você escolhe".

Eu escolhi a amizade dele, comecei a observar mais isso em mim. De fato, meu filho não precisava de tantos DVDs assim, afinal, eram dois ou três que ele assistia sucessivamente. Foi quando então comprei o próximo original, a diferença de preço e qualidade eram dez vezes maiores do que o pirata. O original, dez anos depois, ainda está lá, os piratas simplesmente apagaram, porque não tem qualidade, procedimento, nem pretendem ter. Então comecei a compreender ele quando disse: "Quando você compra algo falso, como é esse caso enfim, você alimenta um fluxo perverso e negativo, nefasto e obscuro". Porque você não está dando dinheiro para a pessoa da banquinha que não teve outra oportunidade de emprego e começou a vender coisas falsas, criminosas. Na realidade, você alimenta um processo muito tenebroso, muito perverso e que quer que seja assim. Você, ao reclamar da tributação do seu país, o que você faz para mudar isso? Onde estão seus votos? Que conhecimento você tem de como é possível mudar isso? Foi aí que comecei a ter uma consciência política, comecei a pensar na política do meu país. "Se você quer mudar o seu país, você está reclamando que precisa agir criminosamente porque argumenta que é culpa de seus dirigentes do país, então você precisa mudar isso. Você está engajado em alguma política? Está engajado em algum movimento para contestar essa realidade do seu país ou você está reclamando e fazendo algo pior e se achando cheio da razão?"

É, eu era esse. Então, tomei uma consciência sobre isso e comecei a observar politicamente o meu país também, a policiar o voto, a conhecer melhor meu candidato. É deprimente, é difícil, mas é preciso.

Comecei a entender algumas coisas muito importantes, por exemplo, que não dá para reclamar, a responsabilidade é sua. Você pode ser inconformado, enquanto isso for uma potência para você fazer algo diferente, ou melhor, ir para a solução. Porque não adianta a desculpa para o erro, pois não terá argumento que baste. Entendi que quem alimenta a miséria que leva o indivíduo a cometer o crime de vender o CD pirata está lá na cúpula vivendo com milhões, e que preciso atingir ele, preciso mudar aquilo lá, contribuir com uma mudança efetiva lá, para que isso não exista mais. Para que as pessoas não precisem ser criminosas para poder alimentar vagabundo. E aí eu entendi extrafisicamente, quando você dá 5 reais ali, você entra na teia energética, você entra no emaranhado de conexões e passa a receber um fragmento disso em você, em sua energia vital, em seu corpo espiritual, em sua atmosfera vibratória. Você faz parte daquilo agora, você é conivente, alimenta. Então, por onde passa aquela energia negativa, um quinhão vai para você também. Já que você alimenta isso, é de direito seu um pouco daquilo também.

Comecei então a querer sair disso, comecei a observar que se eu tenho, eu adquiro. Se eu quero e não tenho, eu espero. Eu poupo, eu economizo. Vou fazer a coisa acontecer de forma honesta. Mas também nos iludimos com a ideia de abundância, eu acreditava que ter aquela pasta com duzentos DVDs era abundância, e isso não é abundância. Além de ser um exagero, era tudo fruto de um crime, erro, equívoco, não era abundância porque eu só usava dois. O acúmulo não é prosperidade, não é abundância. Não é abundância você ter dez carros na sua garagem, você precisa ter o que precisa, o que é efetivo.

Fui entendendo isso e começando a reconstruir minha postura, meu comportamento e minha relação com o mundo, com a sociedade, a profissão, com aquisições. Estou falando de mercado de consumo e como isso impacta dentro de casa, porque se vou e consumo algo que faz parte de um processo criminoso e alimento sendo um igual, eu levo essa energia para dentro de casa. Essa energia que dou para meus filhos, para minha esposa, para meus amigos. Isso define o tipo de atração que vou criar, que tipo de amizade terei, imperceptivelmente, porque você vai obtendo essa energia, você atrai aqueles que se afinam com essa energia.

Decidi ir mudando radicalmente e foi ótimo, pois eu ia comprando os DVDs conforme eu podia. Eu podia muito menos e numa frequência muito menor, mas com uma assertividade muito maior, porque daí eu comprava aquilo que realmente eles queriam. Nisso eu já tinha três filhos e comprava apenas o que eles queriam muito. Quando vem a segunda filha, em um determinado momento ela quer coisas de menina, adquiri originais e, portanto, com qualidade também. Depois quando vem a terceira filha ela já herda, ela é herdeira de muitos brinquedos e filmes, então já não preciso adquirir muitas coisas, ela herda tudo o que a outra foi constituindo. Aí é abundância, porque eu já tenho e consigo reaproveitar a todo instante. E minha sobrinha poderá reaproveitar, e isso aí é fluxo, aí está fluindo a energia e você levando, dissipando.

Se você pode contribuir com o outro, leva esse fluxo para ele. Isso é muito funcional.

Estamos na era da troca, inclusive, do reaproveitamento, há muitos movimentos sociais que, por exemplo, aquela mesa que você não usa mais, você troca por livros, a cadeira que você não usa mais pode trocar pelo boné que você quer. Isso é próspero. Porque não é próspero o desperdício, o exagero, o acúmulo, é algo negativo energeticamente.

A pessoa está lá há dez anos acumulando roupas, só que ela somente usa quatro por semana, aí lava e volta para o mesmo lugar da pilha, porque ela não vai lá embaixo procurar a de cinco anos que está ali já. Você está acumulando uma energia que trava o fluxo, o ideal é que você faça periodicamente um levante, tire aquilo que você já não usa mais, que está bom e serve para outro. Você não tem mais interesse, você já renovou, aquilo já não te traz identidade. Tem muito disso com roupa, de não se ver mais com tal roupa, mas há quem se veja.

O ponto-chave aqui é entender como nós, principalmente no Brasil, temos um monte de argumento para fazer coisa errada. O "gato" da TV a cabo, o da água, da energia elétrica, a senha da rede WI-FI roubada do outro. Esse suposto jeitinho brasileiro, essa sacanagem graciosa, isso afasta Exu do Ouro, isso te joga para o breu. Você está ali com o gato em sua casa, agindo na frequência da desonestidade, trabalhando, mas as coisas não andam. Você acha que alguma Entidade vai dizer para você: "Sabe aquele gato?", você que precisa saber se é honesto ou não.

Caiu a ficha? Fiquei indigesto por muitos anos. Você está agora tendo contato com essas provocações, eu fui vivendo isso. As vezes você se vê tentado mesmo a "facilitar". Por exemplo, encontrei um amigo aqui na fila do banco, vou me ajeitar aqui na frente dele, na boca do caixa. A fila da pipoca do cinema, aquela fila que você pensa que não vai dar tempo de assistir filme nenhum. E aí você vai mancando na fila do especial. Parar na vaga especial do carro porque é cinco minutinhos. É parar na vaga de criança de colo e sair com seu filho de 10 anos. Ficou claro? Acho que não preciso mais de exemplos. Todo adulto sabe o que é agir corretamente, o que é honestidade e desonestidade.

Então, começa aí, nessa história do DVD pirata, meu aprendizado fundamental com Exu do Ouro. E você vê como aprendemos com perguntas simples. Ele só perguntou o porquê de eu não adquirir coisas que pudesse fazer honestamente. Por que que eu tenho necessidade de agir desonestamente para ter coisas? Qual o nível de importância realmente? Preciso ser desonesto nesse ponto? É isso mesmo? Portanto, que fique bem claro, isso não é moralismo, não é também uma espécie de dogmatização do comportamento. Não se trata disso. Não é um sermão. O que coloco aqui é o que aprendi e vi na prática as mudanças profundas de realidade que eu vivia e venho vivendo. Porque quando você entra no fluxo do ilícito, no fluxo da sacanagem, então você se conecta com energia densa muito pesada e ruim, que fica pulsando e vibrando na sua realidade. Portanto, se você faz o "gato", se você fura fila, se você sacaneia de qualquer maneira, adquire coisas ilícitas, você entra em uma trama de conexões negativas que fica vindo em você, e você não percebe, pois é sutil.

Mas aí você está com a vida trancada, embora os esforços sejam grandes para mudar isso, o seu padrão de comportamento não permite. Porque não é só fazer o que você sabe fazer, há algo que define sua atmosfera, sua realidade, que está no padrão de comportamento. Se você não pode, então não faça. É isso. Não faça errado para ter. Estamos falando de comportamento que define a realidade. Nossa realidade é a concretização do que somos, somos em plenitude o que sentimos, pensamos, fazemos, falamos e vibramos. A sua forma de adquirir coisas, de fazer as coisas, de agir, define sua realidade.

Sua realidade está boa? Está completamente feliz com sua realidade? Então não é para você que estou falando tudo isso.

> **DICA**: pare agora de ler o livro, vá se ocupar com outros afazeres e somente amanhã retome sua leitura. É fundamental que reflita sobre as considerações deste capítulo e conecte os exemplos daqui com sua realidade e comportamento.
> Faça, se possível, a dinâmica prática a seguir e deixe assentar essa energia e esses conceitos.

DINÂMICA PRÁTICA SUGERIDA:

Material:
1 vela palito amarela ou branca
1 incenso de rosas
1 copo com água mineral
mel

Instruções:
Escreva seu nome completo e data de nascimento num papel, coloque num prato e cubra com mel. Acenda a vela e o incenso. Coloque o copo de água ao lado.
Ofereça para Mãe Oxum do Ouro, nesta simples evocação:

"Divina Mãe Oxum do Ouro, ofereço-te esta vela, este incenso e este mel, e peço que imante meu espírito com seus fluídos puros de amor e luz.

Peço que imante este copo de água para que, ao tomá-lo, possa ter meu corpo físico fluidificado de dentro para fora pelo seu amor.

Rogo-te, Divina Mãe do Amor e da Riqueza Espiritual, que me acolha em seus braços, me cubra com seu manto de luz e que eu possa despertar para uma nova consciência, e ter força e determinação ao mergulhar dentro de minha alma em busca da minha luz interior, a única capaz de iluminar todo o meu ser e me colocar desperto para uma vida plena e abundante, assentada no amor, este, o grande Ouro da Vida."

Permaneça em meditação, fixado na chama da vela por alguns minutos, e observe silenciosamente seus pensamentos e sentimentos a partir desta ativação.

Somente retome sua leitura no dia posterior.

Após a vela acabar, pode tomar a água.

No dia seguinte, pode lavar o prato normalmente e limpar os demais resíduos.

CAPÍTULO 3

O ALICERCE

Depois de compreendermos a Fonte, agora vamos entender sobre o Alicerce da consciência próspera que já citamos anteriormente. Ao nos debruçarmos no Alicerce, é importante se questionar sobre algumas situações, estamos falando aqui sobre o impacto de nossas ações, de nossos pensamentos e de nossos sentimentos na criação de nossa realidade. Já assinalei para você que honestidade, verdade e coragem são atributos que devem fazer parte do seu ser, precisa ser pleno isso em você. Mas como isso é possível em um mundo em que hoje as pessoas questionam algo do tipo: "Por que serei honesto em um mundo desonesto?" "Por que serei verdadeiro em um mundo de mentiras?" "Por que irei ajudar se ninguém me ajuda? Por que farei se o outro deveria ter feito?".

Quando você começa a nivelar a sua realidade, a sua vida, seu ser e o que você deve ser baseado no outro ou nas situações, significa que você está distante de entender as situações que temos para aprender juntos. Você está distante do que vem a ser amanhã um ser pleno e de consciência próspera.

Porque você precisa criar a realidade, não é a realidade que precisa estar posta para você se adequar a ela, não são os outros que precisam ser honestos primeiro para você depois ser honesto. É sendo honesto que se configura uma relação com as pessoas em que elas passam a ser honestas também. É sendo íntegro que você atrai integridade, é sendo verdadeiro que você estimula a verdade. É agindo que você conquista, realiza, que faz acontecer.

Na vida não se pode esperar algo acontecer sozinho para depois assumir como seu. Você não encontrará nenhuma história de um atleta campeão que tenha atingido vitória sem esforço, treino, dedicação e determinação.

Esses questionamentos são muito importantes para você começar também a criar uma nova percepção, porque isso é o que nós ouvimos em um ambiente profissional, nas empresas e nos negócios.

Sabe aquele funcionário que chega na empresa, primeiro bate o cartão, depois sai para fumar, para depois ir para seu posto de trabalho? Primeiro bate o cartão para depois tomar o café, bate o cartão para chegar e conversar com os amigos, para depois ir trabalhar. Entende o que estou dizendo? Ah, mas todo mundo faz isso!

A questão é que você não é todo mundo, você está no mundo dessas pessoas, está sendo massa no meio dessas pessoas, desse universo perverso que está vivendo.

Porque quando você age como os outros, por que os outros agem de tal forma, mas que para você, se alguém agisse assim com você, seria condenável, então você é desonesto com você. Agora, se você age de maneira desonesta, mas que para você está tudo certo, porque poderiam agir assim com você também ficaria certo, então sua noção particular de honestidade está correta. Quando você se coloca no lugar do seu empregador e você acha que é isso mesmo, os funcionários devem chegar, burlar o horário de entrada, enrolar o tanto que puder antes de começar a trabalhar, se é assim para você, se estivesse no lugar dele, estaria tudo certo, então continue fazendo o que está fazendo e lide pacificamente com as consequências.

É sempre essa a pergunta: o que o outro está fazendo comigo é o que eu realmente faria? É por aí que você deve manobrar o seu padrão de comportamento. Se você é o tipo de pessoa que está sempre dando desculpa ou pedindo desculpa há algo errado com você.

Observe se você, em suas ações, está mais pedindo desculpas do que agradecendo ou sendo agradecido, isso é um sinal de que tem algo muito errado em você. Pense nisso.

Se você já refletiu sobre tudo isso, vamos agora começar a entender a estrutura que nos forma. Agora é o momento de você construir o conceito, desenvolver uma percepção de que você deve assimilar, absorver, para depois construir um hábito.

Estrututa existencial

Somos, como ser humano na matéria, estruturados da seguinte maneira:

- Quadrante Corpo Mental
- Quadrante Corpo Emocional
- Quadrante Corpo Espiritual
- Quadrante Corpo Físico, este só existe nesta realidade material da vida.

Nós somos, antes de estar aqui, sempre uno na tríade: corpo mental, emocional e espiritual, isso é o que somos em essência, não existimos diferentes disso. E nesta realidade, quando entramos no fluxo reencarnacionista, nós temos a oportunidade de viver no corpo físico, mas isso fica claro para entender olhando a silhueta humana, o ser humano.

Mas há algo de novo aqui, que é o seguinte: você é um ser espiritual, mental, emocional e material. Agora, comece a desconstruir algumas convicções: nesta vida, neste momento da sua vida, na sua trajetória.

Neste momento da sua trajetória, portanto encarnado, você deve valorizar a vida física, a vida na matéria, a realidade material, da mesma maneira que você deve alimentar e cuidar das outras estruturas que te compõem. Você não é a par da matéria, você é um ser material, então você vive no mundo físico, material, concreto, e você deve viver em plenitude com isso.

Portanto, a crença de que você deve se desmaterializar vai na contramão da consciência próspera de um indivíduo encarnado. Você não deve ter uma postura Cartesiana com o seu ser. Não dá para você ficar dividido em partes, dissociar-se. Então você é um ser espiritual, mental, emocional, vivendo uma experiência física. De modo que a sua realidade física deve, a maior parte do tempo, preferencialmente, ser um ambiente e uma experiência boa.

Outro ponto que você deve confrontar: o Karma, para uma consciência plenamente próspera, não é uma questão, uma preocupação, algo que está aí para te atrapalhar.

O que você precisa compreender sobre isso? A sua realidade está ruim?

Vamos lá, sejamos honestos. Por algum motivo você chegou aqui, pensando que encontraria uma receita para ficar rico, dicas para arrumar um emprego, um jeito de fechar bons negócios. É isso? Então pense comigo agora. É natural que durante esse enfrentamento da realidade material, a falta do dinheiro, do emprego, uma afetação na dignidade, que não deveria ser, mas pode ocorrer.

Às vezes a pessoa assimila que é algo que a torna menos digna perante os outros. Se isso começa a acontecer, você entra em um processo de depressão emocional, e se ela se desenvolve realmente, você começa a afetar seu corpo espiritual, boicotar seu corpo mental e agora está tudo conjuntamente deprimido. E toda a sua estrutura cai, entregue ao breu, entregue ao infortúnio. E é natural que diante disso talvez seja tão profundo o que você está vivendo que seja uma catarse, e se for assim é possível que você esteja cogitando a crença de que isso é Karma. Porque você faz de tudo, reza, faz oferenda e nada muda.

Destino não existe, destino é crença mítica de algumas religiões, das crenças, das organizações tradicionais em que o mito é muito presente na direção deles, e que há uma crença em Deus, Deuses e somos assim criados para o deleite deles, para a diversão deles. Sempre ouve-se "Deus tem um plano para você", você tem algo para cumprir, para pagar, para fazer, para executar e a crença vai sendo montada da seguinte maneira: tudo perverso, de impacto nefasto e porque é perverso no sentido literal da palavra, há uma distorção da realidade, da verdade, uma distorção do sentido da existência, uma distorção da influência de Deus em sua criação.

Crença em destino é infantil e beira a covardia, para aqueles que se acomodam na dor ou na alegria. Se eu nasci em uma família abastada, irei herdar muitas coisas, que destino bom o meu. Aí vem alguém e diz que a pessoa precisa aproveitar isso pois ela tem uma missão com a caridade, já torna a herança algo pesado, algo difícil. Mas se você nasce em uma situação de desafio, pobreza, limitações, então você tem um destino de purgar, de superar, ou de ficar esperando as coisas mudarem, melhorarem, e quem crê nisso, em destino, que foi a vontade de Deus e que isso está imposto a você. São covardes, crianças amedrontadas, preguiçosas, que diminuem a sua vida, sua existência, sua importância no mundo, encostando na parede vendo o mundo acabar.

Você que crê em destino não pode reclamar de nada da sua realidade, do seu governo, da sua vida, do mundo, você não tem o direito porque é destino e está tudo escrito. Se você sofre, diga amém porque está no seu destino. A crença no destino é a crença de que está tudo pronto ao nascer e que você vive tudo conforme o que foi escrito. E não confunda destino com objetivo.

E qual o objetivo da vida na Terra? É voltar para a pátria original, espiritual, melhor do que chegou. E aí, o que você tem para mostrar hoje, agora? De repente, você voltou. O que acontece? O que você tem para mostrar? Está melhor? Como você está vivendo? Como está levando sua vida? Suas relações? Seu comportamento te define melhor do que quando chegou? Você que acredita em Karma, em destino, alma gêmea, em todas essas coisas.

Destino tem implícito nele essa postura de observador apenas da vida, de marionete e não de alguém que tem autonomia sobre si. Porque se amanhã você quebrar o pé, estava em seu destino, há um aprendizado para você. Se amanhã você perder seu emprego, não lamente porque há algo planejado para você. É certo que vemos histórias incríveis de pessoas que perderam tudo e fizeram da perda sua grande construção.

Há pessoas que um dia perderam um grande emprego e dessa grande frustração e desespero surgiu uma grande ideia que deu certo. Outras que possuem histórias lindas e que, diante de um enfrentamento, desesperadora doença, superaram, mudaram completamente a vida para melhor. Existem pessoas com essas histórias, mas acredite, elas são uma contra centenas que se derrotaram. Essa uma ganha ibope, mas não se mostra quantos não deram certo, quantos ficaram mergulhados em seu drama, lamentando, sofrendo, chorando e piorando a realidade. Quantos não afundaram em vícios, morreram efetivamente, se mataram, quantos não estão deprimidos e quantos não fazem nada para mudar porque no final, há algo enraizado dentro deles: é o meu destino, devo me conformar, é o meu Karma, o plano de Deus. Qual a diferença para aquele que venceu, que mudou completamente, que diante do que parecia seu fim fez um grande começo? A diferença dele com o que apodrece é que aquele é autônomo de si, entendeu que ele podia assumir as rédeas de sua trajetória e que, independente de crença, agiu com seu melhor. Ele começa a ter coragem e sai da possível ideia de acomodação, da covardia. Ou você é covarde ou é corajoso. Essa é a questão, de alguma maneira, consciente ou não, ele escreveu o próprio destino.

Pode chamar de destino o que você está escrevendo agora, simplesmente para ilustrar, não quer dizer que está escrito no céu. Eu escrevo meu destino, ele é o que quero para amanhã, por isso estou escrevendo agora. É minha responsabilidade e não de nada místico, cósmico, espiritual, divino, sagrado, o que quer que seja.

Crer em destino é crer em um Deus sarcástico e não será sarcástico se o seu destino estiver bom, porque se você não estiver tendo um destino bom, então é sarcasmo. Se o seu é bom e você vê o mundo caótico, há um destino horroroso nessas vidas, milhares de vidas nesse mundo. Então, Deus é perverso, que cria e escreve por linhas tortas porque ele tem um problema de Parkinson incrível que ninguém consegue entender.

Essa ideia posta de que aqui é ruim e o bom está em outro lugar, dizem que é no "céu". Essa é uma ideia que começa em Platão e se fortalece no Ocidente com Alan Kardec e na Igreja Católica com Santo Agostinho. Aqui é um mundo caótico, imperfeito, demoníaco e o mundo perfeito é o mundo em que eu idealizo, que falaram que é o paraíso, Aruanda, nosso lar, Orun, enfim, o céu. Então, tenho que ficar aqui me policiando, me reprimindo. Mas de que forma? Daí existem alguns manuais de conduta digna da luz, você deve seguir uma receita, que se resume em levar uma vida apequenada, uma vida simplória, sem ambições, objetivos, e assim você irá para o céu. "Dá tudo para a caridade, para aquela igreja, porque você vai para o céu".

Ambição é diferente de ganância. Ambição é potência para agir, objetividade, clareza para onde quer ir, e no final, você que fica no discurso da expiação, do pecado, destino, você é o maior dos ambiciosos porque você se esconde nessa ideia e finge ser algo que você não é de fato, porque está forçando uma realidade em você, se acomoda em sua dor achando que está se purificando, porque é essa sua ambição, sair daqui purificado.

Sendo assim, que venha a dor, a desgraça, a miséria. A ambição está dentro do ser humano, faz parte de sua estrutura natural. Agora, qual é a sua ambição? É isso que você precisa responder.

A sua ambição é evoluir? Se ambição está junto com objetivo, e nosso objetivo é sair desta realidade melhor do que chegamos. Precisa ser essa sua ambição. E como você faz isso? Sua vida material não diz quem você é? Não pode dizer quem você é?

Você não pode ser um indivíduo refinado, que gosta de coisas boas? Se alimentar bem com coisas boas? Ou precisa sempre ser de terceira qualidade para ser digno, divino, sacrificado. Você não pode ter uma profissão, ser bem-sucedido, para ter uma boa casa, um bom carro, boas viagens, boas roupas. Você não pode ter essas ambições porque isso te faz um condenado? Apegado, materializado? Não passará na porta do céu?

São tantas questões, é tanto engano aí dentro. Passei por tudo isso, tive que quebrar tudo isso em mim. Venho de uma família Católica, fui Evangélico, para só conhecer a Umbanda depois. E nos primeiros anos, ficava me questionando antes de dormir: "Será que não estou sendo enganado pelo Satanás? Será que o Caboclo Tupinambá, Pai João, não são formas do Satanás me ludibriar? Vou para o inferno mesmo?".

Acredite, eu tinha esse drama. Somente eu e meu travesseiro sabíamos. Algo me fazia sentir muito bem dentro da Umbanda, mas no fundo ainda estava enraizado nessas culturas, ideias anteriores à Umbanda. Demorou para eu "sarar" dessa dor, dessa dúvida, e só foi possível com eficiência quando consegui quebrar isso dentro de mim.

Estamos aqui para treinar uma maneira de passar com dignidade por tudo isso. Estamos juntos. Acredite, é possível.

Agora, vamos construir um novo caminho, um caminho ideal, sem tantas curvas, sem tantas confusões, mais claro, fluido e coerente. Então aproveite este vácuo agora, porque é agora que você começa a tomar as rédeas de sua vida, do seu ser, da sua história, do seu destino, da sua realidade. Agora, você está começando a abrir espaço para o que deve vir ainda. Ao final, terá entendido o que é sentir e viver de forma autônoma. Não é ser um autônomo profissional, é ter a sua vida sob a sua responsabilidade, não de Deus, do Orixá, dos espíritos, só sua.

Para isso é preciso coragem, dignidade e força, porque se você entende o que estou dizendo, nunca mais poderá rezar pedindo. A sua conversa com Deus, com Exu do Ouro, com Mãe Oxum, Orixás, não poderá ser mais como antes. Não poderá mais ser: "Deus, Orixás, Entidades, me ajudem com isso, vai na frente, abre caminho, facilita para mim, preciso disso ou qual a mironga...".

Você nunca se deu conta de que nunca deu certo? A mironga para as coisas materiais nunca dá certo. Quando a oferenda é para restabelecer energia para o corpo espiritual, aí dá muito certo.

Quando está em um processo de estresse e descompensação energética, você vai e faz a entrega na cachoeira, no mar, sente-se renovado. Aí dá certo, porque é no campo energético da fé, do espírito. E se você um dia acender uma vela para arrumar um emprego e arrumou o emprego, não foi por isso, foi porque coincidiu que os outros candidatos eram piores do que você. Isso é vida concreta. Se mironga resolvesse o problema da falta de oportunidades de emprego, então não haveria Umbandistas, candomblecistas desempregados.

Já pensou se desse certo fazer "macumba" para essas coisas que dependem dos indivíduos? Para o Bahia ser campeão da Libertadores, depende de uma equipe de campeões. É isso. Isso está na dimensão do indivíduo que vai a campo e joga e é melhor do que o outro. Você arruma seu emprego se é mais necessário que os outros que estão lá disputando a mesma vaga.

Você é um espírito e tem a vida espiritual para se preocupar. E você se preocupa em que ponto? Na sua religiosidade, na sua espiritualidade, como você se relaciona com essa realidade e tudo o que você é aqui, com algo que transcende você. Viver a experiência cuidando do corpo espiritual não é ir na religião, não é praticar uma religião, mas absorver valores, independente do caminho, que te impulsionam para uma transcendência, consciência, comportamento.

    Viver em harmonia com sua dimensão emocional é cuidar, observar as suas emoções, o que você sente, o que está dentro de você. E no emocional são as suas relações, família, amizade, profissional, matrimonial, são os afetos e como isso te toca. Como você está cuidando de suas emoções? Como você lida com os anseios emocionais, suas necessidades particulares? É alinhar isso. Como você cuida da sua estrutura psíquica, psicológica, intelectual, que é o seu corpo mental?

    Como você exerce sua profissão, seu ofício, seu trabalho? Com que empenho e interesse você se relaciona com o mundo? Isso é cuidar do corpo mental. Ou você chegou em um ponto em que sobre espiritualidade e religião está tudo bem, já sabe de tudo? Você não reflete sobre suas relações, suas emoções, sentimentos, agindo todas as vezes de forma igual, não mudando em nada pois esse é você "Gabrielão, Gabrielona, eu nasci assim, eu vivi assim, vou morrer assim". Você não reflete sobre os impactos de suas ações e como afeta sua realidade, os outros, quem está perto, longe, quem está ao lado.

    Portanto, se você não reflete sobre suas emoções, o que você sente, precisa, almeja, como você se relaciona, está tudo trancado, paralisado, desalinhado. Você não reflete sobre como é sua religião, sua espiritualidade, sua vida espiritual, sua vivência espiritual. Você está fazendo isso, pois está aqui agora, então, no mínimo, refletir sobre sua espiritualidade você já está fazendo. Mas há quem não faça, e está caótico. Isso é cuidar do corpo mental, é fazer agir o tempo todo e tudo isso vai te definindo.

A realidade material é este mundo concreto, construída a partir de tudo isso, funcionando ou não, é o resultado de você. Há pessoas que conquistam o que buscam, e de repente você segue a mesma receita e não sai do lugar e isso ocorre porque está em você, no íntimo, no fundo, no Alicerce, a paralisia e o padrão de fracasso. Pois não é um fazer superficial, você precisa entender que a consciência próspera é você alinhar tudo isso com alicerce seguro para caminhar. E você é isso, não é algo que tenta ser, viu e achou legal, "nossa aprendi isso e vou fazer essas receitas", não é receituário, não é autoajuda, consolo, mironga, é uma construção. O efeito disso aqui tudo você sentirá com o passar dos anos. Se você conseguir tornar isso tudo aqui uma nova estrutura em você, e virar hábito, se surpreenderá com os resultados.

Talvez você pense que honestidade, verdade e sinceridade são as mesmas coisas. Não. Consulte o dicionário. Ser honesto em um mundo desonesto, ser honesto com quem foi desonesto com você, é agir do fundo da alma. Honestidade é alma, e quando você a estabelece como um padrão, não foge da raia. Você precisa ser honesto com suas emoções, com suas convicções, ações, relações, com sua vida.

Então, honestidade está na base, no alicerce da alma, da consciência, do coração. E o que é honestidade na prática? Todo mundo sabe o que é ser honesto porque todo mundo sabe o que é desonestidade. É agir em conformidade com o que pensa e sente, com o que fala. Quando você não mantém esse alinhamento, não é honesto. Porque a mentira é o avesso da verdade, ser verdadeiro é não falar mentira, ser verdadeiro é não agir falsamente, é policiar suas ações, fala, sentimento, pensamento como algo valoroso sempre.

A verdade é a transparência, a verdade é aquilo que faz a honestidade ser concretizada. Você é honesto porque é um princípio agir com honradez, agir de tal forma que você jamais se envergonhe, que jamais você se constranja. A verdade é consequência do honesto, não existe verdade no desonesto, ele não sabe o que é isso.

Uma coisa é você dizer: "Gostou dessa comida? Não, não gostei", está falando a verdade mas não quer dizer que é honesto por isso. É que o honesto age com verdade sempre. O exemplo da comida boa ou não é a sinceridade. Você é sincero em tudo em que é posto? Quando alguém te pede algo, você é sincero em como aquilo te afeta? Alguém te pergunta algo, você é sincero na resposta? Porque a verdade é a base, é consequência da honestidade e base para a sinceridade.

Esses três atributos do Alicerce caminham juntos, mas precisam ser entendidos de forma separada, porque há quem é sincero sendo desonesto, pois é sincero as vezes. Há quem fale a verdade mesmo sendo mentiroso na maioria das vezes, mas quem é honesto não permite que eventualmente viva a mentira e a falta de sinceridade porque a honestidade é a base.

O desonesto caminha entre a verdade e a mentira, a sinceridade e a falta de sinceridade, com malemolência, ele acha que isso é malandragem, esperteza, age conforme a conveniência, mas o honesto não vê conveniência na mentira, na falta de sinceridade. O honesto não vê conveniência no prejuízo ao outro. Percebe, agora, a diferença entre o desonesto que fala verdade e mentira eventualmente, e o honesto que somente é honesto quando não há espaço para isso?

Você é honesto como a base do seu comportamento. E sejamos honestos, você não foi honesto sempre, em alguns momentos você agiu sem honestidade, verdade, sinceridade. Sinceridade é algo difícil hoje em dia, principalmente nas relações sociais, ninguém é sincero. E quando há sinceridade é uma grosseria, estupidez, é mal visto. Então, está tudo bom para todo mundo, ninguém fala a verdade: "Não gostei do que você fez, não gostei do que você falou". Pergunta uma coisa, você responde uma mentirinha só para não ofender a pessoa. Não é ser o supersincero que fala quando não é consultado, mas é agir de forma coerente. Se ninguém perguntou, você não precisa falar, mas se você foi consultado precisa ser honesto, agir com verdade e sinceridade. Porque quando age com verdade e sinceridade na sua ótica, você precisa permitir perceber a ótica do outro e fazer uma avaliação. Verdade e sinceridade não têm nada a ver com arrogância, com prepotência, são coisas diferentes.

Se a verdade e a sinceridade afetam o outro, e o outro não age honestamente com isso, com verdade e sinceridade também com você, aí já é um problema do outro, algo que ele precisará lidar.

O treinamento deve ser constante para consolidar a consciência, agora você vai lidar com essa consciência, com o enfrentamento dessa consciência estabelecida para sempre. E, eventualmente, serei afetado em um melindre, eventualmente me vejo em um beco sem saída e é difícil, as vezes me excedo, erro e tenho que lidar com isso. A questão da consciência estabelecida é que, quando você foge do caminho reto, na hora a consciência grita. Essa é a diferença, não fica por isso mesmo. O excesso em uma bronca com o filho, no melindre com alguém, no trabalho, é quando você sai da frequência da honestidade mais pura em você, você não age com honestidade naquilo e a luz acende.

Quando você estabelece a honestidade, a verdade e a sinceridade, começa a traçar um caminho reto de conduta, comportamento, pensamento, isso é retidão. É você estar atento qual é a sua, qual é o caminho. Não tem nada separado, eu enfatizei sete atributos do Alicerce, mas você perceberá que é tudo junto, não acontece separadamente. É uma esfera, não uma hierarquia, está tudo junto, uno, uma coisa só. Eu destrinchei para você entender que para agir com retidão é preciso isso, isso e isso. Manter a retidão em relação ao que estamos propondo da honestidade.

Quem vive o caminho reto, ordenado, não tem momentos tentadores: "Nossa, cem reais aqui, não é meu, mas ninguém está vendo", "Nossa, um amigo na fila, e ela está imensa. Vou lá cumprimentar, perguntar da tia dele, da vó, da mãe, entrar junto". Então, não há tentação para quem está com a retidão na sua postura e é possível que quando você já alinhou sua retidão, diante disso fique bastante bronqueado com quem está longe de ter uma consciência próspera. Mas você deve respeitar o outro, pois o outro está no tempo dele, nas limitações dele e influências que ele permite ter.

Você que está se machucando para poder se curar. Você que está aqui, agora não adianta ir lá cobrar do outro a retidão que você demorou e custou para ter. Respeite o outro, isso também é importante. Respeitar o mundo como está. Diante da inconformidade, vá lá e mostre por si mesmo o diferente. Você mostra por si mesmo agindo da forma correta. Então, você chegou na fila lá atrás e o outro foi lá na frente, mantenha-se no seu lugar, porque isso é mostrar que você está sendo respeitoso com a ordem. Recebeu o troco errado? É devolver o excesso. É isso, não há tentação. Você vai construindo uma realidade melhor.

Eu quero que você comece a entender e a alinhar tudo isso para trabalhar isso dentro de você, esse é o Alicerce da Fonte para você ir alterando vibratoriamente sua realidade.

Se os semelhantes se atraem, pense o que virá por aí. Então, a tendência é que você faça amizades cada vez mais sinceras, honestas e que você se relacione com pessoas melhores do que você e não o contrário. Se você reclama do amigo ao qual você emprestou dinheiro e que não te devolveu, pense em como você era antes para fazer e atrair essa amizade. Avalie também como você se encontra e como ele está economicamente.

Gratidão – Coragem – Ação. Você já percebeu que estes atributos precisam estar no plano de fundo da sua essência, e é preciso ter uma relação de **gratidão** com a vida. Isso muda o comportamento de lamentação. Você lamenta ou agradece mais? Você acorda e lamenta por estar acordando cedo? Você não faz nada para mudar sua realidade e ainda assim lamenta? É um "reclamão" o tempo todo? O que é uma postura de gratidão? Não é ser acomodado, parecer que tudo está perfeito. Não é isso, não se trata disso. Não é fingir alegria quando dói, mas se dói e você tem conhecimento dessa dor, reconheça sem julgamentos onde está a origem ou fonte desta dor. Aí você vai enfrentar a dor, que é o passo seguinte.

Stephen Hawking[5] é um exemplo para a humanidade neste sentido. Ele descobre muito jovem uma doença degenerativa, é o Einstein da atualidade. Essa pessoa da qual estou falando, que há muitos anos, quando começou a perder os movimentos, desenvolveu uma máquina para que pudesse se comunicar com os movimentos dos olhos, ele pode escrever no computador e o computador falar. Imagina se ele ficasse lamentando? Imagina se você que lamenta, parecendo que a vida acabou porque a unha encravou, se o Hawking ficasse lamentando? Só que ele, talvez na minha perspectiva, ele pudesse lamentar porque é uma doença degenerativa, ele perdeu todos os movimentos, ele está cada dia mais encurtado, sem movimento, e lúcido, produzindo ciência, recentemente lançou as novas concepções, superando a si mesmo.

Não está lúcido, ele está a todo vapor, sem mover nenhuma parte do corpo, somente os olhos. Somente com os olhos ele escreve livros, dá palestras, mas diante da doença ele se conformou. Não tinha o que fazer, é degenerativa, não tem cura, não tem como retardar nem retroceder. Tenho que correr

---

5. Físico e Cosmólogo britânico, criador da Teoria das Supercordas e da Teoria de Tudo. Autor, entre outros títulos, das grandes obras *Uma breve história do tempo, Uma nova história do tempo* e *O universo numa casca de noz.*

para criar condições porque sou Deus de mim mesmo, sou autônomo da minha trajetória, não é Karma, não é vontade de Deus que eu sofra isso, mas por algum motivo eu tenho essa doença, então, vou criar condições de viver, me comunicar, produzir até quando não puder mais, como qualquer outro mortal.

Esse homem em nenhum momento cogitou que, no auge da doença, ele deveria pedir a eutanásia. Compreende isso? E só faz isso, não é porque ele é um "cabeção", só faz isso porque é uma gratidão natural à vida, só faz isso porque é bom viver. Eu quero viver o máximo possível, então vou desenvolver uma tecnologia que não existe, que ninguém ouviu falar, para que eu continue vivo, me comunicando. Só faz isso, só define isso tudo quem é grato às pequenas e grandes coisas.

Há quem não se permite tombar diante da queda, você pode cair, tomar rasteira, mas é uma escolha manter-se tombado.

A gratidão precisa estar na raiz do indivíduo. Quando você é grato pelo que você é, quando olha para si mesmo e é grato por questões simples, já que estamos em uma dimensão aqui de religiosidade, então, é grato pelo corpo que tem, "ah, mas eu estou acima do meu peso", ok, então seja grato pois você tem lucidez para se ver no espelho, na balança e entender que perdeu a mão, perdeu o controle, e vai se exercitar. Aí é com você. Você é grato a isso? Porque se não é grato você vai deixar explodir, vai deixar a veia entupir, vai deixar as artérias explodirem, vai falir esse corpo. Gratidão ao corpo é tratá-lo como um templo, como algo sagrado. Não importa se falta um dedo, um braço, um pé, você é grato porque está vivo.

Você é grato por quem está do seu lado? Ao seu esposo, esposa, que te suporta, aguenta, te acompanha, é seu parceiro? É grato aos filhos que tem, aos que não tem? As amizades? Ao pai, a mãe?

Independente de julgá-los, da forma que foram e como são as coisas, você está aí, e mais do que tudo, você é autônomo na sua trajetória. Eles não têm culpa de nada e vice-versa, você não tem culpa sobre as coisas deles. Não é você ser traído e "gratidão pela traição", não é você ser enganado, ofendido, afetado e agradecer. Não é isso! Mas é estar na raiz, se você vive um estado de graça, gratidão com você, então enfrenta os problemas. Diante da traição, da ofensa, da agressão, da doença, você se relaciona mantendo a dignidade, porque há algo mais precioso no fundo. Você é traído, você simplesmente resolve isso e afasta.

Com isso, restam para você coragem e ação. É preciso coragem para ser honesto no mundo de hoje, é preciso coragem para ser sincero, verdadeiro e grato. Acima de tudo, é preciso coragem sair da inércia, para manter quebrado esse alicerce, ou por si só quebrar seu alicerce interior para construir um novo. Se não tiver coragem, não vai acontecer, e se não há coragem, há covardia, omissão. Você pode estar com medo e eu vou te ajudar a ter coragem, mas você não pode ser covarde, se acovardar. Porque o que te resta agora para a construção desse alicerce é ação.

Quem não age, não constrói. Se tudo o que você tem em você, ideais, ambições, objetivos, sentimentos, se você não colocar em ação, então você viverá nessa inércia mesmo e nunca conseguirá entender o que é consciência próspera enquanto um padrão de comportamento. Algo que está na raiz do seu ser.

Aqui começamos a desconstruir aquela ideia de que pau que nasce torto nunca se endireita, cipó que seca torto nunca poderá ser esticado. Tem como hidratá-lo e consertá-lo com muito jeito, e ir remodelando.

Não aceite nenhum fatalismo para você, então vá para a ação. Porque, se de repente, a sua realidade não está boa talvez seja por tudo aquilo que você deixou para depois. Aqui temos o Alicerce da prosperidade. Siga em frente, vamos juntos.

> **DICA:** pare de ler, foque na dinâmica e retome sua leitura somente amanhã.

DINÂMICA PRÁTICA SUGERIDA:

Material:
1 vela palito dourada, amarela, ou bicolor amarela e preta
1 charuto
1 copo de cachaça envelhecida no carvalho (amarela)
papel e caneta

Instruções:
Num ambiente tranquilo e sem interrupções, acenda a vela, o charuto e coloque o copo com cachaça junto.

Ofereça para a força de Exu do Ouro, dê sete baforadas, saudando Exu do Ouro a seu modo.

Respire fundo sete vezes, concentrado no fluxo de ar entrando e saindo do seu peito, silencie.

Pegue um papel e, considerando as reflexões deste capítulo, elenque três insatisfações que você alimenta e que vieram a sua mente assim que leu estas palavras. Faça isso em uma coluna e, ao lado de cada insatisfação, coloque uma nota pessoal em no máximo cinco palavras.

Passe a limpo e elenque por nível de maior incômodo. Agora medite sobre estas anotações sem julgamentos, apenas procure observar em terceira pessoa estas memórias e sentimentos, entregue para que Exu do Ouro lhe inspire sobre estas questões.

Guarde estas anotações.

CAPÍTULO 4

PILAR EMOCIONAL

Agora estamos em um ponto de profundo envolvimento com nosso objetivo, que é essa construção de um despertar para a consciência próspera, para uma vida plena, em que você alinha tudo aquilo que entende como melhor para si, e passa a fazer isso fluir de você.

Já localizou a Fonte, desconstruiu o Alicerce que estava e começa a preparar o Alicerce que você precisa. Vamos começar agora a levantar os pilares para a construção e concretização dessa consciência próspera e vida plena que tanto buscamos.

Exu do Ouro, sendo essa força sustentadora no planeta, na humanidade, temos a oportunidade dentro de seus emissários, os falangeiros, de ter esse acompanhamento dessa construção que estamos estabelecendo aqui, denominado como Pilar Emocional.

O emocional é a maior ou mais latente percepção que temos de nós mesmos e de como a vida e a realidade de tudo o que somos, tudo que estamos envolvidos e como nos afeta de fato.

Não se trata somente do sentir consciente e lúcido, mas uma busca de encontrar dentro de si aquilo que, embora esteja adormecido no inconsciente, é o que mais te afeta na ação prática da vida. Por exemplo, são os traumas da infância e que talvez você não consiga sozinho encontrar respostas para isso, são traumas uterinos, que foram te afetando em sua própria gestação, por exemplo, mas que, embora solitariamente, você não conseguiu ter essa conscientização, encontrar essa resposta. Agora, nesta reflexão, você tem a chance de perceber em si questões mais profundas que impedem o seu desenvolvimento, impedem a concretização daquilo que você espera de melhor em si próprio, da manifestação do melhor em você, e o enfrentamento necessário com tudo que está aí. É preciso enfrentar a escuridão, a sombra que te afeta.

Tenho certeza que você não está mais na dimensão da ilusão, fantasia ou da expectativa.

Agora, você já percebe o que é ser um agente da sua própria realidade. Você está além do comum, saiu da zona de conforto, da mesmice. Penso que nesse momento você já se adaptou a um dinamismo novo, a ações novas, ao agir diferente. Certa vez, Albert

Einstein disse "insanidade é fazer a mesma coisa várias e várias vezes esperando obter um resultado diferente". Porque se você insistir em ser o mesmo, agir da mesma forma, fizer a mesma receita, o resultado continuará sendo o mesmo, matemática pura.

Para o desenvolvimento e a consolidação do Pilar Emocional, é hora de você mergulhar em si próprio, só que com máscara, oxigênio e todo o aparato necessário para um mergulho profundo. Entrar em uma zona inexplorada, escura, perigosa, que causa medo. Vamos falar aqui de um processo de construção, de chaves e atributos para o corpo emocional fluir.

Estamos falando de perdão, resiliência, humildade, simplicidade, paciência, gratidão e amor. Gratidão, de novo? Gratidão na dimensão do Alicerce é uma percepção, gratidão na dimensão emocional é uma convicção, um sentimento estabelecido factual, e a gratidão da dimensão mental é plena consciência do que é viver e ser grato sobre a realidade.

Vamos tratar da gratidão mais vezes, visto que percebemos a gratidão como um elemento fundamental, vital para o desenvolvimento da consciência plena e próspera para tudo. Significa que se você não é grato, se não sente gratidão, não tem consciência, lucidez de gratidão, não conseguirá se desenvolver afetivamente. Em algum momento, toma para si a relação com as coisas, com os outros como obrigação, ou você é obrigado ou o outro é obrigado. Isso não é bom, não é auspicioso. Isso é o que atravanca os relacionamentos, o desenvolvimento. Quando há gratidão, você encerra ali a sua relação de obrigatoriedade e a do outro.

"Muito obrigado", você estabelece verbalmente, portanto energeticamente, magisticamente, o compromisso de obrigação com o outro pelo que ele te deu ou fez, te auxiliou. A gratidão encerra e é a manifestação pura do receber bem aquilo, e encerra o assunto positivamente.

Por exemplo, quantas vezes você se sentiu na obrigação de retribuir um favor? Ou talvez, infelizmente, você tinha uma gratidão por algo que alguém que te fez, mas esse alguém cobrou a obrigação pelo que fez? Acontece. "Lembra que eu quebrei seu galho? Agora você quebra uma árvore para mim". Pois então, essa é a relação que culturalmente nós temos, educados nessa ideia: todo bem, todo auxílio, todo presente, tudo aquilo que te chega, você tem o dever de retribuição.

Entretanto essa é uma relação ruim, escravizadora dos relacionamentos. Você deve ser o manifestador legítimo do que sente, deve ajudar o outro quando isso é um impulso natural, quando você tem uma realização pessoal com isso. E quando você tem uma realização pessoal com isso, não tem jamais a intenção de cobrar do outro aquilo que você fez. O fazer e realizar para o outro é cada vez mais algo gratificante e estamos falando de algo muito próximo do amor Ágape[6], do qual falaremos mais adiante. Porque quando você age de forma grata ao agir e recebe a ação do outro que age de forma grata, é graça, é benção, você não precisa devolver para o céu, para Deus, para Orixá, Entidade, o que você recebeu na percepção de graça, de uma graça.

A gratidão é algo que te afeta tão profundamente que si próprio vai se lapidando, só de você não criar em você a ideia de que o outro tem obrigação com você por algo feito, você se torna tão mais leve que não se afeta. Um exemplo, você está andando com seu carro e fura o pneu, liga para um amigo, parente, enfim, alguém vai lá e te socorre, te ajuda e você é grato por isso. A pessoa salvou você ali, encerra sua obrigatoriedade com isso com o outro e vice-versa. Se o outro, em algum momento precisar de um auxílio e você não puder, é algo que deve ser muito leve dizer isso: "Infelizmente

---

6. Ágape: do grego, significa "Amor", uma característica de amor incondicional, generoso, daquele se que felicita em ajudar na felicidade do outro. Seria entre os cristãos, preconizado por Paulo como o Amor Divino.

eu não posso". Você não irá se torturar: "Nossa, um dia ele me ajudou, preciso retribuir". Porque não se trata nessa percepção da reciprocidade, se trata de honestidade. Lembra que falamos? Porque se você se afeta para fazer para o outro, se prejudica para fazer para o outro, então o processo se tonará muito negativo.

Hora errada, e embora você não possa, você queira, a honestidade é ser transparente quanto a isso. Se o outro se afeta: "Nossa, mas um dia te socorri, preciso que você me socorra agora", então significa que essa relação está equivocada.

Falar do corpo emocional é tratar diretamente dos relacionamentos e como nós nos relacionamos, antes de esperar qualquer coisa do outro. É começar a quebrar como você se estabelece nas relações, como se organiza neste mundo, dentro de uma percepção emocional. E aí está tudo truncado. As expectativas vãs são o fundo, a fonte das frustrações, só que há níveis de frustrações, há do tipo: "Perdi o ônibus", e há frustrações "Nossa, não acredito que fez isso comigo", "Eu não esperava isso". A frustração que pode acabar com sua vida, e isso é retrato do nível de expectativa que você cria com o outro e com as situações. Nada é absolutamente definitivo em se tratando das relações.

Se você cria expectativas com o indivíduo baseado no hoje, daqui a dez anos ele será outro e isso pode te frustrar. Quantas pessoas chegam no fim de um relacionamento, de um casamento, e uma das partes não levanta, não vê luz mais na vida, porque cria uma expectativa de eternidade fantasiosa, só não faz muitas coisas para a eternidade existir.

Você precisa enfrentar o que te magoa, aquilo que está aí dolorido em primeira instância, que seriam os últimos acontecimentos, dolorido a tempo médio e dolorido que você desistiu, mas que ao colocar na memória, ainda te traz sensações. Quando um caso, uma experiência está bem resolvida? Quando você consegue falar sobre aquilo e não te afetar, quando algo por mais trágico que seja, e você é capaz de rir de si, consegue fazer piada da própria desgraça, piada da própria tragédia. Piada daquilo que naquele momento foi o fim do mundo. Talvez é o que acontece quando contamos histórias de amores da adolescência. Se você se afeta ainda com relacionamentos da adolescência, aí é difícil.

Histórias que naquele momento foram trágicas, horríveis, você pode hoje rir porque está resolvido, não é algo que você possa trazer agora para pontuar. Mas você que tem um problema com o pai, mãe, com um relacionamento mal resolvido, uma amizade, o trabalho, tudo isso você terá que alinhar.

Nós alimentamos uma mágoa, um rancor, um trauma, às vezes um sentimento de vingança. A vingança é um golpe do ego. A busca de fazer o outro amargar o que você amargou, sentir o que você sentiu, é uma ação sistêmica do ego, que te engana ao dizer que você não deveria ter passado por isso então, que o outro passe, que o outro amargue, que o outro "coma o pão que o diabo amassou".

Falar sobre perdão não é tão simples, vamos dividi-lo em duas instâncias: o perdão pelo outro, pelo que o outro fez. É sempre o outro porque no final tudo é relacionamento humano. Você falar que não perdoa a empresa na qual você trabalhou, não, você não perdoa o chefe, o dono. Você não perdoa o colega que talvez te sacaneou, você não entendeu o que ele fez. Você não perdoa pessoas.

Não temos como culpar uma placa que cai em nossa cabeça no meio da rua, você precisa culpar o engenheiro que estabeleceu aquilo, você culpa pessoas que são operadoras daquilo ter acontecido.

Outro ponto é o que você não aceita em si por ter se afetado, e aí é o lado mais sombrio, profundo e o mais necessário. Porque quando você fica em uma relação interna de ódio, mágoa, rancor com o outro, se você parar para refletir profundamente, não aceita o fato de que se permitiu ter sido enganado.

Você precisa, antes do outro, ser você o objeto de preocupação, se perdoar, e é o mais difícil. Porque no momento que você aceitar que está nessa realidade, que vive em função de seus afetos, suas emoções, relações e que você fez algo pelo outro e que o retorno do outro é algo que te magoou. Você dedicou amor a alguém e esse alguém não retribuiu da mesma forma.

Difícil, preciso falar de forma genérica, mas traga para sua realidade e reflita. Um exemplo: você jurou amor e esse te traiu, você emprestou dinheiro e o outro sumiu. Você deu uma grande ajuda e no dia em que você precisou, o outro não te ajudou. Você era dedicado naquela amizade e quando descobriu, não era da mesma forma para o outro. Você deu todo o seu sangue para a empresa, mas foi o primeiro a ser dispensado. Então, é você organizar o que te afeta, hoje, o que está aí, pesado com você.

Você precisa aceitar que está em uma realidade em que tudo isso é possível, pior do que isso, veja as histórias dos outros, dos noticiários sangrentos. Acontecem coisas inacreditáveis o tempo todo na vida das pessoas. Mas se você começar a perceber que de um lado você chegou a esse ponto, teve essa frustração, teve essa decepção, essa dor. Não porque você foi tolo, boba, não pensou melhor, porque não ouviu alguém dizer. Você se frustra em um relacionamento e pensa: "Bem que fulano avisou". Você viveu e está vivendo sua vida da forma mais correta, que é ter as rédeas das coisas. Você se envolveu em um relacionamento que todo mundo dizia que daria errado, deu errado, mas você viveu, seja feliz, pois você viveu.

Você não foi simplesmente manipulado pela opinião dos outros, ou ainda que um aconselhamento, de alguma maneira se permitiu agir como pretendia, como desejava. Se isso trouxe resultados ruins, não quer dizer que o erro é seu porque não ouviu. É porque os outros têm os problemas deles, as dificuldades. Mas você não pode ficar se culpando, se penalizando porque não evitou, não se antecipou, não presumiu. É provável que sua natureza seja assim, e mesmo com toda a sua determinação isso não vá mudar, talvez mude a forma como você lida com o resultado.

Mergulhar em um relacionamento é a recomendação. Está se envolvendo com alguém, "Mas já passei por duas decepções não vou mais me envolver com ninguém", não, você vai.

E se aparecer alguma outra grande oportunidade, uma grande história, você precisa viver isso de forma visceral, profunda, se entregar, dedicar, fazer o seu melhor. Se vier outra frustração, se não vier igual você foi, se não for exatamente como sonhou, não é para se decepcionar consigo, é aceitar que você está agindo da sua forma mais natural e que antes do pior chegar, há o melhor e é nisso que você precisa se apegar. O que é esse pior? Você precisa analisar até onde tem a participação nisso e quando já não tem mais.

Agora, se você coleciona histórias frustrantes de relacionamento, sejam de amizade, sejam amorosas, você precisa lembrar uma sentença, "os semelhantes se atraem", então também é se olhar no espelho e ao invés de falar que tem o "dedo podre", entender o que está podre. Quem é o pior dos processos? Porque é muito fácil sempre atribuir ao outro as suas frustrações, suas dores e decepções. Quando você faz isso você também se coloca em uma posição privilegiada: "Eu que sou tão bonzinho e o outro foi tão ruim comigo". Há traições, há ações orquestradas por outras pessoas, mal-intencionadas. Nós nos envolvemos com pessoas mal-intencionadas, infelizmente. Mas se você coleciona, tem um diário com várias páginas contando histórias horrorosas de suas experiências, precisa ver até onde realmente não é você que as atrai.

Perdoar-se é o primeiro ato para perdoar o outro. Quando você reconhece o seu papel naquela frustração, naquele trauma, dor, decepção, naquela mágoa que você alimenta, quando você consegue construir o entendimento disso, é provável que você perceba, ao final, que está tudo bem com o outro. Que talvez a ação do outro tenha sido consequência das suas também.

Uma relação frustrada por algum motivo, o final aconteceu e você é a parte que ficou afetada, não queria que acabasse, e o outro está vivendo a sua vida, uma outra história, uma outra experiência, e você continua se privando, aprisionado.

Você precisa entender, por exemplo, que é livre para entrar e sair de um relacionamento, não é? Quantas vezes você foi o finalizador, finalizadora, de um relacionamento, por que culpar o outro agora somente porque você se afetou? Foi pego no susto, no inesperado! Embora eu acredite que é muito raro uma relação que até ontem era de amor, beijos, carinhos, e no dia seguinte não querer mais. Precisa ter o atrito antes, a confusão, precisa estar acontecendo algo. Ou é realmente uma falsidade muito grande. Mas nós sabemos quando o outro não está pleno, no beijo, no carinho, não está presente, então as vezes vai se enganando nesse sentido. Aceitar a liberdade de entrar e sair de uma história, de um relacionamento e que isso que você chama de amor não é bem isso. Se você sofre sobre o fato do outro ter decidido caminhar separado, encerrar essa história, se há amor de verdade, você sofre pela ausência daquele momento, ou por uma frustração das expectativas, mas entende no fundo que a busca da felicidade não pode ser somente sua e que por algum motivo o outro não estava mais feliz, e que você deve se felicitar do outro procurar a felicidade, pois isso não pode ser o motivo da frustração, da paralisia do outro. "Não importa, ele pode sofrer, mas desde que seja do meu lado." Isso não é amor, isso é possessão.

Iniciamos a construção de uma pacificação interior, de respeitar que ninguém tem a obrigação. Pais têm obrigações com os filhos, isso sim, mas nas relações que estabelecemos, que criamos, ninguém tem obrigação.

Se você vive uma experiência de namoro, casamento, precisa ser uma experiência compartilhada e feliz para os dois.

Se você vai trabalhar obrigado, está errado, pois precisa haver um prazer ao acordar, ir e voltar, o sentimento arrastado de obrigatoriedade vai te colocar no fim desse ciclo também. Quando você desobriga o outro sobre você, torna-se leve a experiência e a relação. As expectativas sempre existirão, temos expectativas que nos afetam no dia, de repente você acorda toda feliz, espera que o outro também acorde muito feliz e que o bom-dia seja um bom-dia cheio de festividade, mas o outro não acordou bem e aí você já se frustra. Acaba gerando uma briga, que se torna também um desrespeito por não perceber o sentimento do outro, não sentir o outro.

Quando levamos numa dimensão mais macro é isso, você fica afetado, anos depois, desejando o pior para o outro porque o outro não deu o melhor dele para você. O outro está seguindo o caminho e você aí paralisado, pois não entendeu absolutamente nada nas relações.

Amizades não podem ser forçadas, então se você pontuar suas ações e o que elas representam em seu dia, no mínimo 90% de suas ações, sejam manifestações do seu bem-querer, do seu desejo de fazê-lo, da realização pessoal e que os outros 10% estão dentro daquilo que você não gostaria de ter feito, mas faz porque os outros 90% compensam. E com os relacionamentos é esse o norte que você precisa estabelecer. Você vai a festas sem querer ir, cumprimenta sem querer cumprimentar, se relaciona sem querer, é isso que vai te deixando cada vez mais amargo. Se perdoe, perdoe a vida, sua história.

Aceite, não se acomode, procure agir melhor e diferente, porque se você está aí paralisado, afetado, magoado, triste, deprimido, raivoso, significa que você paralisou. A vida está acontecendo, tem pessoas que chegam em um ponto de decepção com a vida que ficam bravas com as pessoas que são felizes. É como se a felicidade alheia fosse uma falsidade porque não é possível ser feliz já que eu experimento uma tristeza profunda. Vamos pensando em tudo isso.

Reitero que o objetivo principal deste capítulo é a cura emocional, por isso enfatizei tanto a questão do perdão, perdoar-se e perdoar o outro, porque se você conseguir desatar os nós que estão aí, cicatrizar essas feridas que estão abertas porque você se mantém apertando elas. Se você conseguir ao menos organizar o que está aí para que você possa enfrentar, então fizemos grandes avanços.

O perdão, para ser concretizado, é preciso ter o entendimento de que não se trata de uma espécie de amnésia. Esta crença de que o perdão é esquecer a ofensa, ou aquilo que te ocorreu, isso é uma falácia. Ou o discurso de alguém que tenha amnésia, pois se eu esqueço para perdoar, então eu não perdoo, simplesmente esqueço. Se você deve esquecer para perdoar então não há mérito algum, não há superação alguma, apenas uma falha da memória.

Você se harmoniza caso resolva aquilo que te afetou e pronto, uma vez resolvido, você começa a entender que você também não tem responsabilidade pelo desvio de comportamento do outro. Quando assim você perdoa aquele que era seu amigo, ao qual você emprestou dinheiro com muito amor, com vontade de ajudar em um momento de apuro e ele sumiu e não quer saber de honrar, sem hombridade, sem palavra, esses valores tão raros cada vez mais. Aquela pessoa que traiu o seu amor, sua dedicação, seu relacionamento, enfim, pode ser isso um retrato de um desvio de comportamento, e você não tem culpa disso e não vai resolver isso perdoando.

Quando você perdoa alguém não quer dizer que você precisa retomar a relação com ela. É muito comum confundirmos o amor de pais e filhos, pais com filhos. Você vê aquela mãe que tentou o seu melhor e o filho desvia a vida dele, vai para o crime, vai preso, e ela está lá nos dias de visita com todo o amor para ele. Isso é transcendência, maternidade, outra conversa e não o que estamos falando aqui. Porque isso é amor de uma profundidade que só vivendo isso para entender. Não estou falando disso, e sim de outra dimensão de nossas relações, conexões humanas, sociais. Portanto não se trata de esquecer, você é coerente quando ao perdoar você organiza também quem é o indivíduo.

O fato de você perdoar o outro faz com que limpe o seu coração, você para de sofrer com aquilo, porque o não perdão sobre algo significa você manter dentro da sua estrutura emocional uma energia negativa, uma gosma purulenta que adoece seu corpo espiritual, seu corpo emocional, físico e mental. Essa energia pulsando dentro de você porque você não resolve algo dentro de si vai te machucar, adoecer cada vez mais, podendo te enlouquecer, pois é uma ação racional também de querer se resolver com o problema para não ficar com a doença em si. O que o outro fez é responsabilidade do outro, resolva isso em você.

E se o que te afeta é algo que você fez com outra pessoa?

Daí chegamos em um ponto primoroso da reflexão. Quando você sente que tem algo para resolver com alguém porque você se afetou, há duas alternativas importantes para cumprir, ou duas ações. Resolver bem isso em você para que possa, ao pedir o perdão, ao manifestar a sua compreensão sobre o erro, que você não desejaria ter feito daquela forma e, talvez, procurar o outro.

Quando você procura o outro, mas sem expectativa, se o outro não quiser te atender, não quiser te ouvir, te perdoar, você precisa entender que isso é responsabilidade do outro, você não pode se responsabilizar mais por isso. Limpe seu coração sobre o malfeito ao outro também, se organize quanto a isso. Vá e se manifeste: "Estou aqui para te dizer que errei, que me arrependo, machuquei, prejudiquei, venho pedir seu perdão e dizer que estou consciente de que se tivesse tido essa lucidez não teria feito e eu gostaria de dizer que estou querendo resolver isso". Se a pessoa não quiser resolver isso, aí é responsabilidade dela, você não tem nada a ver com isso. Não adianta você se martirizar querendo o perdão, dizer que vai morrer sem o perdão. É problema dela, você blinda suas emoções quando tira de si aquilo que está te machucando. Transferiu para o outro. Se o outro disser que foi bom, que estava esperando que tivesse essa consciência, que está tudo bem, que segue em paz, cada um na sua. Porque aí ele está no direito dele de não confiar muito em você. E siga em paz pois as relações podem ter seus ciclos de fim.

Aqui queremos a cura emocional. Se sua vida está desgraçada é porque talvez você esteja agindo de forma desgraçada. Se sua família é um caos, se a relação na sua casa é caótica, é de briga, discussão, cobrança o tempo todo. Se você com seus filhos os afasta, no seu relacionamento você é mais conflito, se na sua família você não é o mais benquisto, nas suas amizades não é lembrado.

Se no seu trabalho você é isolado, então entenda que não dá para ter vida próspera, consciência próspera, espírito próspero sendo assim. Porque se é assim, acredite, está em você o problema.

A dica para saber quando o problema está em você é quando você entende que você mais reclama do que agradece, quando você mais lamenta do que exalta, se você mais pede desculpa por suas ações o tempo todo, você é o problema. Se você insiste por ego, por vaidade, por fragilidade emocional, em manter relações caóticas o tempo todo por onde você passa, esquece, você não pertence a uma consciência próspera, mas pode resolver isso treinando. Sendo sincero. Honestidade, sinceridade, verdade e ação, fatores importantes trabalhados na semana anterior, que agora precisam ter conexão com o que estamos buscando aqui. Você não perdoa se não tiver verdade, não harmoniza se não tiver honestidade, não alcança os objetivos se não tiver sinceridade, se você não sair do lugar, não agir, nada vai se configurar.

A conclusão de ser alguém que avalia o perdão em si e o perdão ao outro, é aquele que começa a caminhar balizado pelo amor. Independente das formas de amor que posso dizer, e posso dizer em várias perspectivas, mas o amor é em si um bem-querer. O que vem a ser o amor-próprio? O amar-se? O amar-se é você preservar sua lucidez, suas emoções, seu espírito. Amar-se é se dar o respeito, se dar o respeito é saber claramente o que você quer e o que você não quer, e quando em qualquer instância começa a acontecer algo que te afeta, saber que você não quer para si. O amar-se é pôr um ponto final, é organizar isso. "Isso não me serve", "Eu não quero isso". Agora, se você fica deixando para depois, você não se ama, você terá perdido o controle sobre isso. Amar a si é o primeiro amor consciente e organizado, porque é preciso muito policiamento para saber quando você deixa de se amar e se aventura demais em esperar do outro ou das coisas.

Uma vida pautada no amor é por onde flui naturalmente, por exemplo, a verdade, a sinceridade, a honestidade, a retidão. Se há uma consciência amorosa em você, então você não mente, não trai, não prejudica, não engana. Pois se você ilumina sua vida com amor, o amor-próprio primeiro, é viver cuidando da sua própria imagem, da sua dignidade, do que você deixa de impressão. Quem se ama cuida disso. Se tem essa arrogância de quem não "está nem aí" com que os outros pensam, então você não se ama, pois você não é um ser isolado no mundo. O que os outros pensam de você diz muito sobre o que você é de fato. Qual imagem você está transmitindo? Mas você não precisa se penalizar por alguém que não te conhece, quem te viu uma vez e tem uma opinião sobre você. Estou falando daqueles que estão na sua intimidade, essas impressões definem quem é você e é preciso ouvir e avaliar. Não estou falando de amor romântico, estou falando de amor enquanto sentido da vida, enquanto estrutura de consciência.

Não há nada mais primoroso que podemos aqui verbalizar do que o amor, o amor não romântico. Nesse sentido é que eu peso para você, de pesar mesmo: Ame a si, coloque isso na balança. Você começa a alimentar isso e começa a irradiar isso também, pois se o amor está em você, você entende o que significa amar o outro. É um respeito ao outro. Não é levar para casa, ter um relacionamento. Você ama o outro como a si mesmo, no peso e na medida em que se respeita, se você não se respeita é difícil respeitar o outro. Porque se você insiste em sofrer, em lamentar, em paralisar sua vida em suas dores, então você não se ama, não se respeita, não é capaz de amar ninguém e respeitar ninguém também. Percebe o tamanho do buraco? Isso é um drama que precisa ser resolvido. **O amor resolve tudo**, se você pauta sua vida e suas ações no amor, tudo o que eu disse até aqui não se faz necessário.

Quando Jesus traz a noção de amor, Deus sê ele o amor, então é muito natural, muito orgânico para ele dizer: "Atire a primeira pedra quem nunca errou". Quando ele coloca isso na experiência de amor que deve haver nas experiências humanas, é exatamente isso. Porque **o amor resolve todos os conflitos**, esclarece todas as dúvidas, cura os traumas, **o amor é solução**. E aí você terá várias dimensões do amor, então você precisa ter o amor Eros com a sua vida, com seu trabalho, família, relações. O amor Eros é esse desejo, e não tem nada a ver ainda com libido, desejo é a potência, o estímulo. Eu desejo viver melhor, viver um dia melhor do que o outro com minha esposa, com meus filhos, família, trabalho e amigos. Você pauta sua vida também fazendo fluir esse desejo positivo, isso é potência de ação e isso é campo de atuação da Pomba Gira do Ouro.

> **DICA:** pare a leitura e retome amanhã, concentre-se em fazer a dinâmica.

DINÂMICA PRÁTICA SUGERIDA:

Material:
1 vela palito vermelha
1 maçã
1 botão de rosa vermelha
1 incenso de rosas
1 taça de sidra de maçã

Instruções:
Acenda a vela e o incenso, sirva a taça de sidra e deixo tudo junto com a rosa vermelha e a maçã.

Ofereça para Pomba Gira do Ouro, concentre-se nesta presença e silencie.

Relaxe e medite fazendo estas perguntas para si:
— Até que ponto eu quero prosperar e ser feliz? Eu quero de verdade?
— Com que empenho estou disposto a enfrentar meus medos e traumas?
— Estou convicto em banir meu autoboicote? Mesmo que sofra?

Após esses questionamentos, observe silenciosamente as respostas, pensamentos e sentimentos que emergem a partir disso. Faça anotações em um papel sobre isso para futura consulta.

CAPÍTULO 5

PILAR MENTAL

No caminho de ativação da força de Exu do Ouro e o desenvolvimento da consciência próspera para uma vida plena, uma vida harmônica e uma experiência existencial sem precedentes, vamos tratar do Pilar Mental.

Já estudamos sobre a Fonte da consciência, a construção de um Alicerce, como devemos levantar o Pilar Emocional. Agora, trabalharemos o Pilar Mental, aprenderemos como fazer as conexões, amarrar tudo o que foi trabalhado anteriormente para a concretização de uma lucidez, de uma ideia do que você quer para si.

O caminho que iremos seguir agora é, ao mesmo tempo, um ponto de partida para você compreender com uma reflexão mais dirigida, as conexões, aqueles sete atributos do Pilar Emocional e os atributos para o Alicerce, costurar tudo isso e fazer disso sua preocupação em um processo de construção.

A construção de uma consciência próspera não é estabelecer regrinhas de positivismo, não se trata de mentalizações, mas de um corpo pleno. Ser íntegro e ter mesmo determinação com a honestidade, com a verdade, sinceridade, com a retidão, gratidão e ação, com perdão, amor, paciência, resiliência, simplicidade, humildade, e entender que simplicidade não é ser simplório, que humildade não é ser miserável. Que perdão não é amnésia, que amor não é estupidez, que paciência não é acomodação e que resiliência não é "a espera de um milagre".

O Pilar Mental, que é a luz acesa na sua consciência, na sua lucidez, na sua mente e na blindagem de fatores psicológicos que são muitas vezes o seu autoboicote. Se você vem criando alicerces e vai subindo os pilares e construindo de forma alinhada, dificilmente precisará de terapia psicológica, psiquiatra, cardiologista. Reflita em cima desta frase: "Quando você trabalha em algo que não te satisfaz, é estresse, quando você trabalha em algo que te realiza, é diversão".

Se você anda muito estressado, você precisa entender o que está realmente te afetando, porque quem trabalha dez horas insatisfeito enfarta, quem trabalha dez horas por dia satisfeito só cansa fisicamente, mas vive uma satisfação, é uma diversão.

Vai, dorme, respira, e é mais um dia de delícia. Então, um exemplo, se você está em um relacionamento que só te estressa, te preocupa, te irrita, que te causa medo, neuras, você está vivendo uma relação estressante, uma relação doentia.

Pode ser que a doença seja você ou o outro mesmo faz coisas que te adoece, e é complexo, a construção de expectativas, do esperar demais do outro coisas que não chegam. Isso vai te afetando, te matando e você está nessa relação doentia, você está doente. Tão doentio que você não sai disso, porque talvez você já tenha criado um prazer na dor, estabeleceu um prazer na loucura e quando está tudo bem parece que já incomoda, você começa a criar atrito porque aquilo vai te satisfazendo.

Uma dica de que você está ficando insano em uma relação, é quando você precisa ficar provocando o outro para ter atenção. Você agride o outro de alguma forma, porque quando o outro se vira raivoso para você, você sente que está tendo a atenção desejada. Você irá ficar insano, doente, vai precisar ser interditado.

O Pilar Mental é acender a lucidez para que você comece a ter consciência e clareza daquilo que realmente não quer, daquilo que realmente identifica como nocivo, perverso, nefasto. Que parte do seu fator psicológico se irradia por todas as suas estruturas, trinca você, acaba com seu dia, com sua semana, acaba com coisas importantes. Então, se não é clinicado, diagnosticado, você tem chance de acender essa lucidez e fazer uma construção.

Você já é diagnosticado, então siga as orientações de quem te diagnosticou. Porque não adianta, eu sou bipolar, esquizofrênico, tenho transtorno disso, transtorno daquilo, aí é outra "pegada", precisa fazer tudo isso aqui paralelo a uma ajuda profissional. Todos nós temos uma sombra.

Sem falar da Teoria da Sombra, o que eu não gosto no outro é o que está em mim. Não é bem isso. O que eu digo da sombra, podemos dizer assim, temos um ente que caminha conosco, que é nós mesmos, e ele nos boicota. São sentimentos e pensamentos que emergem para nossa lucidez e negativam você.

Você quer muito fazer algo e aí vem aquele pensamento que te desconstrói: "Você não é capaz, você não pode, isso não é prioridade". Mas o que é prioridade? Vem o medo, alimenta o medo. Você está em um relacionamento e está tão inseguro com a situação e ficam latentes os pensamentos de desconfiança, fantasia, mentira. Isso vai te adoecendo.

Blindar esses pensamentos é estabelecer para você ao longo do treinamento o que é realmente efetivo e importante. E quando começar a emergir o boicotador, a sombra sacaneadora, esse ente maligno, você consegue ter a lucidez de onde começa e de como encerrar isso. Isso é a blindagem, alarmar-se de tal forma que você consiga pegar no início a invasão daquilo que vai te prejudicar psicologicamente e emocionalmente. Vamos estabelecer um padrão organizado, estabelecer regras para si mesmo, código de conduta, de postura e de ação. Então, o Pilar Mental objetiva fazer você ficar alerta, consciente de si. Porque é muito prazeroso quando você está consciente de si, em um momento, em uma realidade em que as pessoas estão dormentes. Acredite, as pessoas estão zumbis. Elas caminham, vivem, acordam, trabalham, elas comem, se relacionam como zumbis.

Estão anestesiadas e, por isso, não têm controle de si, não têm autonomia, controle da vida, vão sendo levadas por um processo instintivo e manipulado.

Pilar Mental é estabelecer a lucidez, porque a consciência plena vai se confirmando na ação, não é um processo de contemplação. A fé, eu tenho fé no Exu do Ouro e isso é uma relação religiosa de contemplação, veneração e que você, de alguma maneira, está transferindo para o outro também seus desejos, suas necessidades.

A proposta dessa consciência plena de prosperidade é que você perceba que é agindo que se concretiza. Mas a ação, para ser verdadeira, produtiva e frutífera, precisa ser mesmo o estado final, a consequência final de algo que vem visceralmente de dentro de você. Porque você já tem uma consciência, um sentimento, você tem, portanto, uma convicção de que aquilo é você.

Para isso emergir e transformar isso em ação, é preciso lucidez de como isso está sendo trabalhado dentro de você. Por isso não são receitas, faça isso que acontecerá aquilo. Porque se não é verdadeiro, se não está dentro de uma construção de hábito, então você está fazendo simpatia, qualquer coisa do tipo. Isso não funciona. Você está falando que não funciona simpatia, magia, mironga? Magia, mironga, funcionam, mas são paliativos, são movimentações energéticas e que não significam nada de impacto em você de fato.

A maior magia que você pode promover em si é esse renascimento, essa reconstrução.

Constituindo em você mesmo um conjunto de valores, de virtudes e capacidades que você observa a olhos vistos de quem está à sua volta. Vê e percebe isso porque vira ação, hábito, verdade.

A dica é você elencar aí em uma parede, os atributos do Alicerce e os atributos do Pilar Emocional, e começar a fazer a conexão de tudo com todos...

A retidão é uma postura diante da vida. O que é retidão? É a observância daquilo tudo que você tem como valor. O que é valioso para você? A honestidade, sinceridade, verdade, coragem, gratidão. A retidão é manter-se determinado nisso. Quais são os atributos, as chaves, para a construção de um corpo emocional alinhado, próspero, positivo? Perdão, simplicidade, humildade, resiliência, paciência, gratidão, amor. A retidão associada a isso é observância constante dessa busca, desse alicerce, dessa construção.

Você não vai imediatamente sentir amor-próprio com lucidez, é uma construção, você precisa namorar-se, apaixonar-se por você. Viver então, o período de paixão consigo, para construir o amor consigo e entender o que significa esse valorizar o que é importante para você. Se você está em um relacionamento conjugal então, valorizar o equilíbrio daquilo que é importante para você, em que momento você abre mão, você anula.

Você abre mão porque nesse abrir você soma com o outro algo que sobrepõe aquilo e fica melhor e maior, porque também percebe que a recíproca é verdadeira. O outro também se lapida, se limita eventualmente para poder constituir um novo corpo. Não é anular-se, você não anula o que é importante, valoroso, vital, mas aquilo que é superficial e normalmente é o que conflita nas relações.

A lucidez é, nesse caso, saber a hora exata em que você precisa ouvir o outro, levar em consideração porque se está lúcido, porque às vezes insistir em algo que está afetando o outro pode ser apenas um jogo do ego. Mas não é tão simples assim, porque há pessoas que têm uma tendência de se anular, e ela vai virando uma ostra, e isso é ruim, pois a ostra somente fornece pérola porque a pérola é um câncer dentro dela.

Na realidade humana, se você se transforma em uma ostra, o câncer mata você. Dificilmente você virará pérola, precisa tomar cuidado com isso, pois há metáforas belíssimas sobre a dor e não é bem isso. A dor faz pérola em você quando você é lúcido, quando, diante da dor, da decepção, do enfrentamento de doença em você, na família, doença com alguém querido; quando uma frustração acontece, um impacto te consome em um determinado momento, mas você se relaciona com aquela experiência com clareza. Porque se você não se relaciona com aquilo com reflexão, que é o que mais falta hoje na sociedade, na humanidade: reflexão sobre o que vive, é o homem debruçar sobre si, então isso te adoece, te consome, te mata.

Essa é a diferença do indivíduo que diante da dor, você vê a história de vida e fica admirado.

Talvez você seja a pessoa ou no mínimo conhece pessoas assim, que se derrama o leite na mesa fica ali lamentando que o leite caiu na mesa, sujou a toalha, e chora. Lamenta a perda do leite, lamenta a sujeira causada e fica ali às vezes em estado de choque. Fica ali paralisado se desculpando, se lamentando. Precisa vir alguém chacoalhar, arrancar a toalha e colocar outra no lugar. Agora é hora de você decidir que diante do leite derramado, nessa metáfora bem construída, não vai dar tempo para o sofrimento desnecessário. O leite derramado é uma metáfora, uma historinha. Você precisa trazer isso para sua realidade. O que está acontecendo que você fica se lamentando?

Você pode chegar amanhã no seu emprego e ter uma carta de aviso prévio na sua mesa. É claro que é impactante na realidade em que estamos vivendo atualmente, no entanto, o que deve significar? Eu diria como empregador e empreendedor, assim: quando você tem um colaborador efetivo, que constrói com você ali no espaço, esse não é, em nenhum momento, um ponto, um caso a ser pensado de dispensa. Só é dispensado aquele que é dispensável. Desculpe, você precisa aceitar isso.

A não ser que você esteja falando de uma empresa que irá fechar as portas, então acabou, falência é outra conversa. Agora, tem lá a equipe e você está sendo dispensado, porque é dispensável. Então, por mais que seja doloroso, você precisa refletir, "estou sendo dispensado porque sou dispensável, me tornei dispensável por quê?".

Você é aquele que deu cinco minutos do seu horário já está pronto para sair? Você chega cinco, dez minutos depois? É isso. Você é aquele que quando está no refeitório, está na roda com os colegas, você está reclamando do seu patrão, está falando que ele é burro, que no lugar dele você faria isso, aquilo, que ele não sabe fazer as coisas? Você é aquele que tem ideias geniais, mas não coloca nada em prática? Você precisa se autoanalisar? O expediente está começando e você já está esperando que ele termine?

Você ouviu seus superiores? Conversou com seu encarregado? Tem acesso ao chefão? Sentou com ele e conversou? Pergunte para ele abertamente, com vontade de ouvir de verdade. Dificilmente irão dizer mesmo. Por que estou sendo dispensado? Se na outra ponta for um honesto, ele irá dizer que você está sendo dispensado porque não contribui, vai falar seus defeitos, que lá eles precisam de alguém assim e assado e que você é o inverso disso. E o que quer que você ouça, você precisa assimilar como uma oportunidade para se reinventar, é importante compreender a ação da honestidade, sinceridade, verdade e lucidez sobre isso. Vai chorar o leite derramado ou vai pensar: *tenho trinta dias de aviso prévio*. É o caos, você pode chorar, você tem o direito de ficar um dia frustrado, mas entenda, o que cabe a você é reinventar o seu caminho. Como você pode fazer disso algo que te transforma positivamente.

Estou sendo mandado embora pela minha postura? Vai em busca de outra oportunidade honestamente e aja diferente. Analise como você está se relacionando com o seu trabalho e amplie suas reflexões, você precisa parar para pensar e levar para sua vida todos os exemplos citados no decorrer do livro e pontuar se encaixa em sua realidade.

É a mesma coisa, você está em um relacionamento com alguém, mas você é "toscão", ausente. Você precisa perceber que o que a outra parte faz por você, automaticamente espera isso de você. Compreende isso? Se você é surpreendido com um mimo, um presente, com uma flor, a outra parte também gostará que você faça isso.

Não imediatamente, mas eventualmente. A troca é isso, o que um faz pelo outro, ele entende que é importante que seja feito para si. Percebe isso? Como que você está alimentando, construindo, regando os seus relacionamentos?

A blindagem mental, a construção mental é a lucidez constante. É você estar aberto, porque você já resolveu emocionalmente essas questões. Não resolveu? Essa é a ideia. Se você está aqui agora é porque você está no mínimo convicto de que trabalhará seu ego, não vai ficar se afetando infantilmente com as coisas e vai se predispor.

Agora, é estabelecer lucidez, portanto, quando alguém vier falar algo para você sobre seu comportamento, se você está humilde, amoroso, resiliente, vai ouvir e avaliar até onde o indivíduo tem razão e em que ponto isso também é uma interpretação somente dele.

Se três pessoas ou mais falarem a mesma coisa sobre você, no mínimo você precisa levar em consideração.

No seu trabalho, se alguém que está ao seu lado, ou superior a você, não importa a hierarquia, quando alguém te aponta e pede para você tomar cuidado com algo, tome cuidado com isso, não está legal aquilo, deixe a arrogância de lado, deixe o ego de lado, a vaidade, e observe, tente ver pelos olhos do outro que está falando isso de você.

Procure se policiar o tempo todo, policiar para que você deixe elencados aqueles atributos, que são os valores de conduta. E ficar com sua mente, consciência, sua lucidez alerta naquilo.

Você vai vivendo seus dias e vendo quando um desses valores estão sendo afetados, sendo invadidos, afrontados, e você, como se comporta com aquilo, define se aquilo está estabelecido ou não em você. Por exemplo, você está conversando com alguém e esse alguém diz que você está com o dente sujo e você responde que não está, então você deixou de lado a capacidade de ouvir o outro, basicamente. De "opa, peraí, vou ver aqui no espelho", e fazer até uma piada com isso.

Você perceber que pode cuidar dos outros a sua volta e os outros também podem cuidar de você. Isso só é possível se não há a construção de um ego arrogante, de uma vaidade ignorante, de um medo de rejeição, medo da exposição, de uma estupidez generalizada. Você terá que estabelecer o Pilar Mental entendendo que ele é o farol aceso em direção ao Alicerce do Pilar Emocional, é a luz que fica posta ali, é você sendo iluminado o tempo todo por si mesmo, pela sua própria lucidez. Agora começa a construção disso, levantar esse pilar precisa ser uma proposta de manter-se alerta, de romper com as lamentações, com os medos infantis, com a postura infantil, a insegurança, os ciúmes bobos, infantis, que desencadeiam momentos de transtorno.

A lucidez é isso: você precisa disso mesmo? Se sim, então vamos pesar isso, o que ficou aí mal resolvido para trás. Nessa construção da consciência próspera, o corpo mental é o farol geral que fica se movimentando 360° sobre tudo o que você constitui. Começou pelo Alicerce, o corpo emocional, o corpo espiritual, o corpo mental e o despertar propriamente.

Se o corpo mental não estiver lúcido, se não tirar você do movimento zumbi de existência, não tirar você dessa postura de massa de manobra, não tirar você do vitimismo, da fragilidade, não haverá mais futuro, não haverá a construção do campo espiritual, do corpo material e nem despertamento. Você não estará desperto.

O corpo mental não é o despertar também. Ele é o querer, o começar a acender a luz. Estar desperto é quando está tudo ali resolvido e vamos construir isso. O corpo mental é tomar a ciência sobre isso tudo e se posicionar, é a luz que fica mirando para você se posicionar nesse alinhamento do hábito das convicções que você precisa ter para caminhar daqui para a frente.

Se ficar com dúvida, com preguiça, então não haverá evolução. Para tudo na vida é necessária disciplina. Disciplina não é um ponto que está elencado nos atributos que trabalhamos, porque a disciplina é algo que está implícito em tudo aquilo. Não há retidão se não há disciplina, não há fé, espiritualidade, se não há disciplina. Não há a experiência do amor se não há disciplina consigo, com suas emoções e com o outro.

A disciplina não é uma questão, a disciplina é algo que precisa existir. Exu do Ouro só estabelece dois tipos de relação, uma por querência, quando ele quer aquele que se mostra realmente convicto, disciplinado em busca da consciência, e vai trabalhar para isso. E o outro que é a parte da sua intenção, que é aquele que cai no colo, aquele que está comprometido nesse sentido da vida. Aquele que vai lá para ser punido, para ser esgotado pelos excessos nesse campo da vida. A esses é reservado outro espaço e outra relação com Exu do Ouro.

Quem é você nessa história? O que você está construindo? Se não há despertar da consciência, da lucidez, não haverá mais nada daqui para a frente. Se você é a elite disso, é aquele que sai da escuridão, sai das trevas, da prisão, então, vem comigo.

> **DICA:** pare agora a leitura e retome amanhã, concentre-se em fazer a dinâmica.

DINÂMICA PRÁTICA SUGERIDA:

Material:
1 vela palito preta
1 charuto de boa qualidade
1 copo com cachaça carvalho
1 incenso de sândalo
7 moedas de 1 real (colhidas no comércio, evite as novinhas, recém-saídas do banco)

Instruções:
Acenda a vela, o incenso e sirva o copo de cachaça. Circule a vela, o copo e o incenso com as moedas. Ofereça o charuto, dê sete baforadas evocando a presença e força da falange Exu do Ouro para que traga inspiração, consciência e lucidez sobre sua materialidade.

Medite, inspire-se e assimile as intuições.

No dia seguinte ou em até 3 dias, use as moedas para comprar algo de interesse, preferencialmente em uma feira ou comércio popular.

CAPÍTULO 6
PILAR ESPIRITUAL

Certamente já há uma nova consciência pulsando dentro de você.

Espero que com todas as nossas reflexões e considerações algo dentro de você já esteja renovado, e ao chegar aqui dentro do Pilar Espiritual temos como objetivo estar um passo além, não mais na mesma inércia.

É preciso consistência em suas ações, todas elas devem ser muito verdadeiras, devem ser mesmo uma manifestação da sua alma. Porque caso não seja, você está tentando seguir uma receitinha e não vai acontecer nada.

A honestidade, a sinceridade, a ação convicta deve ser algo concreto em você, do contrário, você está só criando mais uma vez uma estrutura de fantasia e ilusão.

Falamos aqui sobre a Fonte, o Alicerce, o Pilar Mental, Emocional, e agora vamos falar sobre o Pilar Espiritual. Entenderemos mais sobre o trono, a

Divindade, e o Orixá com Mãe Oxum. Antes do Exu do Ouro, há a Divindade Oxum, o Orixá Oxum, a Mãe Oxum, a senhora do Ouro, a senhora do Amor, das uniões, das agregações, é dessa força próspera, abundante que nós buscamos.

Entendemos que não se trata de algo físico apenas, não se trata de ser bem-sucedido profissionalmente ou coisa parecida.

Descobrimos que a sorte não existe, bem como o azar, e que você é o realizador do seu mundo. Você concretiza em ação, pensamento, sentimento alinhado a sua realidade o tempo todo. Quando você mantém mente, coração e ação desconectados, você tem uma realidade caótica, você vive constantemente frustrações e um caos na sua vida.

Por isso a necessidade de um alinhamento do que se pensa, do que se sente, fala e faz começando assim, no mínimo, a organizar a sua vida.

Estar organizado perante a vida e a realidade em que você está inserido. Com essa consciência, com essa luz, você começa a realizar sua própria criação. Você começa a ser deus de si mesmo e consegue concretizar aquilo que você tanto deseja dentro de você.

Mas isso somente é possível quando o que você é e o que você se torna é mesmo uma estrutura organizada, alinhada e funcional. Porque quando a verdade, sinceridade, honestidade, o amor, estão dentro de você, de forma lúcida, controlada, organizada, viva e pulsante, as coisas fluem diferente.

É possível e natural que você se veja em situações em que cruze com pessoas ruins, mas quando se está alinhado a verdade, honestidade e amor, você começa a viver uma postura firme de afastar aquilo que não está sendo bom, de afastar de você, com seu convívio, de seus negócios, aquelas pessoas e estruturas que não condizem com seu padrão.

Não é exigir dos outros esse padrão, mas é de repente dar a chance e oportunidade de conviver com você, mas se depois de duas ou três oportunidades a insistência do outro é ser caótica, então você o afasta ou se afasta, e elimina essa relação. Porque isso passa a ser um campo minado para você e pode te colocar em situações perigosas. Estamos construindo uma relação de fé, uma fé em você, mas uma fé também transferida para a força de Exu do Ouro, a essa estrutura religiosa e a Entidade propriamente, que está junto de você, representante da falange Exu do Ouro.

Um Exu do Ouro está te acompanhando. O que eu quero dizer é que aquilo que você trabalhou no Pilar Emocional e no Mental, que é para trazer lucidez, consistência, cura, enfrentamento. Aquilo agora começa a ater morada no seu Pilar Espiritual. Talvez você pense ou diga: *não seria mais interessante hierarquizar isso e colocar Pilar Espiritual, Pilar Emocional, Mental*? Não, porque se você não cuida agora do que está aí no seu corpo emocional, mental, você não assimila o corpo espiritual.

Ele é primário, mas aqui nessa realidade não assimilamos. Se fosse pensar hierarquicamente, tínhamos que começar com o material e o último ser espiritual, porque é daqui para lá e não de lá para cá.

Agora só queremos pegar nosso corpo mental e emocional que estão sendo trabalhados para ficarem alinhados, organizados, ficarem honestos um com o outro, de mãos dadas. Entender que agora a fonte para que eles funcionem, para que você pense, sinta e fique realmente harmonizado, é assentar, alicerçar realmente isso no seu corpo espiritual.

Que você é um ser espiritualizado, em busca de espiritualização, um ser consciente de espiritualidade, portanto, um ser com uma religiosidade, se não estando amadurecido, a caminho de um amadurecimento.

A religiosidade madura é a vivência de uma espiritualidade consciente. A religiosidade imatura é o que traz, por exemplo, fanatismos, fantasias, crendices. É quando você se depara com situações muito difíceis, uma contrariedade, traição, insulto, afronta, sem apenas um reativo diante dessas situações, agindo de uma forma infantil. De repente, você consiga evocar a lucidez de como o Preto Velho faria. Quando você mantém acesa essa lucidez em você, que na hora que a coisa pegou você se permite respirar um segundo: "Diante dessa situação, se levasse agora ao pé do Preto Velho, o que ele me diria?".

Você sabe que ele diria para você não reagir da mesma forma, não pague na mesma moeda. Na moral do Preto Velho, a agressividade, a reatividade de mesma proporção, uma defesa agressiva é nada mais, nada menos do que o ego à frente da situação, é orgulho, vaidade, e o Preto Velho é inverso a isso, e ele diria no mínimo: "Respire, até que você possa acalmar-se". Chore se tiver que chorar, mas não vomite o pior de você.

Onde estão os valores da Umbanda? Nos aconselhamentos dos Pretos Velhos, dos Caboclos, dos Exus, da Pomba Gira, dos Erês, Ciganos, Ciganas, do Mestre Oriental. O que eles falam para nós o tempo todo é onde estão os valores, eu poderia elencar em um papel os valores da religião, mas, mais do que isso, é encorajá-lo a assimilar como vivência prática, como colocar em ação tudo aquilo que você coloca em prática dentro do terreiro.

Desejo que esse terreiro do qual você faz parte seja um ambiente maduro, lógico, sensato, obviamente, para que isso que você está absorvendo aqui seja sempre algo que você olhe e fale "isso ainda é difícil para mim", "preciso realmente ir em busca dessa inspiração, desse comportamento que o Preto Velho está me aconselhando".

Espiritualidade é vida prática e não vida devocional, vida contemplativa, não é ficar aí olhando para o Santo, para a imagem, para a cachoeira. Às vezes, dinamicamente, a contemplação é um caminho para compreensões. É somente um método, um exercício.

Contemplar, ficar de frente para uma árvore e olhá-la durante uma hora pode ser um exercício proposto por um Caboclo. Sentar na frente da cachoeira e ficar ali uma hora sentado, percebendo seus pensamentos, é um tipo de meditação que pode ser proposto por um Exu, por um Preto Velho. Mas espiritualidade não é isso, você não é um ser mais espiritualizado quando você para na intenção de meditar, quando fica parado para contemplar, quando faz um rito de devoção. Não, isso não é espiritualidade, é apenas uma demonstração de religiosidade.

Existem pessoas que acham que espiritualidade e religiosidade são a mesma coisa, mas embora de forma potente ambos devem caminhar juntos, religião te traz identidade, comunidade, ambiente, dinâmica. Dentro da religião que é proposto um caminho espiritual. Em qualquer religião, dentro do caminhar, a sua caminhada espiritual, você vai com o tempo, e somente com o tempo, não de repente, não imediatamente, é uma construção diária em que você irá despertar a espiritualidade em você.

Ser um indivíduo espiritualizado é quando já não há mais distinção entre questões da religião e consciência pessoal. Quando você já é pleno no que prega, no que tem, no que observa para a vida prática, quando aquilo já foi assimilado, interiorizado, metabolizado. Está nas vísceras, no corpo, na carne, em todo o seu ser. Isso é estar já no processo de vivência espiritual, de espiritualidade, um ser espiritualizado.

Se você não se debruçar sobre sua religião e começar a separar o joio do trigo, separar pessoas da religião, separar a sua relação de fé com as pessoas e com a religião, não será espiritualizado. Pois tem muito disso na Umbanda. São pessoas que são religiosas de um médium, religiosos do terreiro. A fé dele está no terreiro, naquela Entidade, naquele médium que incorpora aquela Entidade que está naquele terreiro. Se aquilo não existir mais, é provável que a fé dele mingue.

Conheci muita gente assim, que passa por esse processo e ela nunca foi religiosa e não se deu oportunidade de despertar para a espiritualidade. Qualquer frustração pode acabar com toda a suposta fé dela. Qualquer frustração com aquele ambiente religioso, com as pessoas naquele ambiente religioso, pode definir um novo caminho fora da Umbanda para aquela pessoa. Porque ela nunca entendeu a Umbanda como um caminho espiritual, mas como o terreiro que ela vai. E é preciso organizar isso, tudo isso é para você compreender que o corpo espiritual, Pilar Espiritual, só é próspero, e só há prosperidade espiritual, abundância espiritual, quando isso está assimilado. Nós somos uno, mas nesse momento divido tudo em partes para que haja de você uma dedicação, uma honestidade, um debruçamento sobre si.

Agora o si, você, é um ser espiritual, mas conscientemente e emocionalmente, como é o ser espiritual, aqui em nossa realidade? Não é o ser projetado no mundo espiritual, não é a hora em que você dorme e vai para o mundo espiritual. Você não é um ser espiritual quando incorpora ou conversa com espírito?

Você nem é um ser espiritual quando reza, canta, oferenda ou faz dinâmica religiosa. Mas a sua noção de espiritualidade, sua prática espiritual religiosa, é aquilo que é assimilado por sua consciência e suas emoções, no ambiente do qual você faz parte. Aqui estou falando para Umbandistas, religiosos Umbandistas, é o que eu presumo. Estamos falando de Exu do Ouro, então aqui é para alguém que entende isso e quer se relacionar. Por isso estou usando referencial como a Umbanda e os terreiros de Umbanda. Só é honesto, verdadeiro e sincero, quando sua ação, convicção, se transforma em ação prática, o que está lá no sagrado, no terreiro, na Entidade, no Orixá. Se você está no terreiro, se quando a Entidade sobe, a Entidade vai embora e vai junto dela tudo o que foi dito, tudo que foi inspirado e tudo o que representa vai junto. Não estou falando se você incorpora ou não, você está em um ambiente religioso, ali entregue, ou se concentra, está ouvindo, se relacionando, se movimentando, assimilando aquelas verdades, compreensões, comportamentos, vida, decisão, mas ao sair do ambiente religioso, chegar na sua casa, no seu trabalho, na sua vida prática e colocar tudo a perder por qualquer motivo, respirar fundo e se perguntar se o Preto Velho faria dessa forma, como você pretendia, ou o que diria ele, o que diria o Exu, o Caboclo.

O que diria aquela referência de fé, aquela referência de Mestre para você.

Então, você não exercita espiritualidade, você não é honesto com o que está fazendo lá, porque honestidade na religiosidade é o esforço posto em ação. A Umbanda é incrível mesmo, sabe por quê? É uma religião que não tem discurso de conversão, não tem pretensão de ser ela a verdade absoluta. A maior verdade da Umbanda é o reconhecimento de todas as outras verdades, e é tão incrível isso que todas as verdades têm forma fragmentada e ela têm isso de forma una dentro dela. Significa que a Umbanda não prega salvação, evolução, o caminho ideal para evolução, não tem a pretensão de converter ninguém. Se você foi em algum lugar e falaram que você precisava ir para a Umbanda, existe isso, você se consulta com uma Entidade e fala que se você não se desenvolver sua vida vai desgraçar. Isso é tentativa de conversão. Isso é goela abaixo, isso é covardia e não é Umbanda, isso é um erro. Mas de forma geral a Umbanda não é assim, Umbanda não tem isso, ela é muito dona de si, confia muito no próprio taco, ela é muito autossuficiente.

O comportamento daquele que sai do terreiro e fica falando das Entidades, fica querendo convencer os outros, isso não tem nada a ver com Umbanda.

Porque a Umbanda na sua vida, a Umbanda em você, a religião em você, é algo que só é verdadeiro se você coloca em ação.

Na Umbanda, o que importa é ela em você, deu para entender isso? Ela não é uma religião que está preocupada com números porque ela não tem essa pretensão de ser totalitária, a Umbanda não acredita que é o único caminho. Ela somente cresce por ordem natural, porque as pessoas chegam em contato com ela cansadas de um discurso dogmático, cheio de tabus, de regras, e veem que ali a regra, para quem entendeu, para quem assimilou, a regra é cuidar da sua vida. Porque ali, com a espiritualidade na Umbanda, você aprende o valor e o peso do perdão, do perdoar-se, do amor, do amar-se, do amar o outro. Não como uma condição: ame senão você é ruim, perdoe senão você vai para o inferno. Isso tudo é uma mentira.

Você não perdoa porque você vai para o inferno, porque quando você perdoa troca de posição, quando você faz isso porque tem medo do castigo, você não perdoa, e a Umbanda ensina que o perdão é um anseio da alma. É algo que precisa brotar, porque não é bom, porque quem mais sofre em viver uma situação de mágoa e rancor, de não perdão, a não ação do perdão, só faz mal para quem alimenta o não perdão em si. Porque, se há algo em você que não consegue perdoar no outro, sobre algo, sobre um fato, sobre você mesmo, significa que você está sofrendo, adoecendo, ou já está doente.

Percebe a dimensão do que é viver espiritualidade?

Para você dizer que você é Umbanda, que você vive a Umbanda, que você é Umbandista, precisa estar claro que todos os dias ao abrir os olhos, ao tomar ciência de si de novo, renascido em mais um novo dia, você precisa remontar quais são as suas crenças, quais são os seus valores, o que você está aprendendo diariamente no ambiente religioso, que deve definir a sua espiritualidade. A Umbanda é tão consistente nisso que também diz na voz de Exu: não seja tonto. Ou seja, ela não faz religiosos bobos, covardes, que diante de uma contrariedade, diante de uma estupidez de alguém, ficam ali bancando o tonto, a vítima. Diria Exu dependendo do conflito: imponha-se. Mas essa imposição não é na força, é na sensatez. Você pode se impor, ser firme, agressivo, com categoria, sem força, mas com retidão. Não é aceitar as coisas da forma como estão vindo, diria Exu, para que você vire a mesa. Não é ser uma criança esperneando, se jogar no chão, gritar, para virar a mesa.

E Oxum é o Orixá do amor, e onde vive-se o amor ou a persistência de que vivemos assentar dentro do nosso ser consciente, emocional e espiritual, uma noção de amor, amor-próprio, quem tem a oportunidade de se jogar no amor, de repousar no amor, de estar abrigado no amor, não precisa pensar em perdão. Perdão não é um assunto, uma dificuldade. Quando falamos em amor, quando falamos da fonte que é Deus, Oxum é nada mais nada menos que a concentração do fragmento de Deus amor. Oxum é a parte amor de Deus. E se você quer prosperar espiritualmente, se quer abundância espiritual, você precisa colocar seu coração e sua mente no amor.

Fazendo isso e alinhando na observância do que você está vivendo religiosamente, para que isso que está no âmbito da religiosidade vire ação prática, é quando você alinha coração e mente com valores da sua religiosidade, em prática é que você tem então o corpo espiritual autônomo, consciente agindo.

Reflita, onde posso ser melhor para o outro? Onde em mim que incomoda, apesar de amar?

Você não consegue viver espiritualidade, se relacionar com o sagrado, você indivíduo vivendo o melhor de si todos os dias, porque você busca superação todos os dias. Isso não será possível se você não for capaz de ouvir o pior de você e levar em consideração, se você não ouvir o pior de você e não pensar sobre isso, e não acreditar.

Nós somos seres espirituais com uma vivência, experiência material, o que nos torna mais materiais do que espirituais. É muito contraditório isso. Somos seres espirituais que tivemos nossa memória espiritual apagada, adormecida, porque o que cabe aqui é a vida material e as coisas que a materialidade nos ensina para impactar nossa trajetória interna e espiritual.

Buscamos na realidade material uma espiritualização que não pode se apartar da materialidade. Isso é o tema da nossa próxima semana. Temos um grande desafio mesmo, que é impulsionar nosso espírito a partir da matéria, vivendo uma espiritualização, porque não é verdade que espíritos são espiritualizados.

Espiritualização e viver uma espiritualidade é transcender-se a todo instante. Você já ouviu dizer sobre Egun, Quiumba, espírito sofredor, obsessor, zombeteiro, todos aqueles espíritos que estão em uma faixa negativa da existência, estão na sombra da existência humana espiritual. São espíritos, eles estão vivendo uma espiritualidade? Não. Começa a compreender agora? Esses espíritos, milhares de espíritos que estão no mundo espiritual, não estão vivendo espiritualização. Porque compreender o que é espiritualidade é compreender que você vive em harmonia com sagrado, mente, coração e ação. É isso.

Ter uma vida espiritual próspera significa que você está harmonizado nesse alinhamento e você vive diariamente um crescimento comportamental, consciencial, emocional. Se você vive isso então tem uma espiritualidade próspera e abundante, porque a maior riqueza, o maior pataco espiritual, é a lucidez sobre você.

Esses milhares de espíritos adormecidos em seu ego, nos seus defeitos, na sua bestialidade, no seu negativismo, não sabem o que é espiritualização, não vivem a espiritualidade, estando em um mundo espiritual. Está claro agora isso? A vida na matéria, essa vida concreta que você vive agora, estamos encarnados, eu sou um ser encarnado, você é, isso que estamos vivendo agora é uma grande chance de não ser influenciado pela ideia de mundo espiritual, lá no mundo espiritual, e não tão adormecido na própria bestialidade, porque a vida material nos traz esse adormecimento, porque você somente dorme nessa realidade, é bom dormir, aproveite para dormir bem na vida. Apesar de dormirmos um terço da existência, durma com qualidade porque você não irá dormir depois.

Essa oportunidade de dormir e acordar é a grande sacada da escola da vida material, porque quando você adormece processa as influências daquele dia e tem a chance de ao despertar e renascer novamente para o novo dia, reconsiderar tudo. Na vida espiritual isso é diferente, em espírito você é mais frenético naquilo que emerge de dentro de você, exige muito mais. Mas esse não é bem o assunto. Agora, o que quero pontuar é que o seu Pilar Espiritual é você. É você quando alinha sua consciência, seu coração, sua fé com a ação. Exu do Ouro é a fonte da manipulação dessa especificidade que é o fluxo da espiritualidade no material. A sua âncora deve ser Oxum, a sua prática é Exu do Ouro.

Buscamos nesse rito de ir até o ponto de força de Oxum, uma assimilação maior do que vem a ser esse Pilar Espiritual.

Portanto, espiritualidade tem tudo a ver com prosperidade. As suas ações determinam sua abundância, sua prosperidade, física, mental, emocional e, portanto, espiritual. Não é abundantemente espiritualizado quem incorpora todo dia, aquela coisa da ideia do santificado que fica lá dando atenção para todo mundo, benzendo todo mundo. Não quer dizer que ele é próspero espiritualmente. Agora isso começa a te dar um nó, porque temos uma ideia romantizada a respeito das pessoas que são totalmente dedicadas ao outro, através de um caminho de fé. Me parece, as vezes, uma miséria, porque você tem tanta miséria que você insiste nisso diariamente, como a fome, você tem fome, você só pensa e só procura comida o tempo todo.

> **DICA:** pare agora a leitura e retome amanhã, concentre-se em fazer a dinâmica.

DINÂMICA PRÁTICA SUGERIDA: Conexão com Mãe Oxum no Lar

Material:
1 vela de sete dias amarela
1 taça de sidra de maçã
1 maçã
1 botão de rosa amarela, branca e cor-de-rosa
1 incenso de rosas
mel

Instruções:
Em um papel, escreva o nome da sua família, os que habitam a mesma casa, nome completo e data de nascimento.

Coloque em um prato, cubra com mel e coloque a vela de sete dias no meio. Corte a maçã em quatro partes e coloque junto da vela nas perpendiculares, formando um asterisco.

Fora do prato, acenda o incenso, deixe ao lado as rosas num recipiente com água e a taça de sidra.

Ofereça para Mãe Oxum, cante um ponto se souber, reze como lhe for mais pessoal.

Sugestão Evocativa:

"Divina Mãe Oxum, eu vos evoco para que receba esta singela firmeza e abençoe meu lar, meus familiares, meu trabalho, meu espírito e minha jornada terrena.

Senhora, vós que sois a emanação viva e pura do Amor Divino, rogo que imante meu corpo espiritual, minha consciência, meu coração e meu corpo físico, para que eu possa sentir conscientemente vossa manifestação, e que assim eu possa ser manifestador deste amor puro e vivo do Criador por onde eu passar e em tudo o que eu me relacionar.

Salve Divina Mãe Oxum,

Axé, Axé, Axé."

Sinta o peso destas palavras, silencie, medite e assimile seus sentimentos e pensamentos.

Faça isso antes de ir dormir.

CAPÍTULO 7

PILAR MATERIAL

Eu te saúdo, eu te reverencio, eu te reconheço e peço aos ancestrais que te iluminem, te fortaleçam, abençoem, imantem, guiem, assim como a mim. O Axé que em mim se manifesta reverencia o Axé que em você se manifesta.

Trabalhamos até agora a Fonte, o Alicerce, o Pilar Emocional, o Pilar Mental, o Pilar Espiritual e agora o Pilar Material. Esse, que é o corpo material, e eu diria que ao se tratar do Pilar Material deveríamos talvez chamar de pilar de vida. Vida real, vida concreta, agora, presente. De alguma maneira quando falamos do pilar material, falamos de ancestralidade, pilar do passado, de outra origem, distante.

Quando falamos do Pilar Emocional e Mental, falamos de algo muito integrado, é quase um só, mas eles fazem um contraponto de sustentação. É possível que você tenha mais dois pilares, mas sem um desses dois conjuntos, essa estrutura vai a ruína. Ao falar do Pilar Material estamos falando da realidade, do momento presente, da vida que você vive agora. Não interessa vida passada, nem o antes, nem o depois, quando falamos de Pilar Emocional e Mental, falamos juntamente do antes e depois, não é? Espiritual ancestralidade, material é agora, antes não importa, você já trabalhou e avaliou isso. Depois é o que virá e virá como consequência do que é agora, o que você vive, o que você é, o que você faz, vibra, o que você sente, o que você mentaliza, cria, estabelece, dentro e fora de você agora. Amanhã só pode ser resultado do agora.

O Pilar Material, a vida presente, o ser aqui e agora, âncora telúrica, vida material. Seu corpo é um Templo, suas relações, sua vida, decisões, sua história, suas ações, seu legado. Isso é negligenciado o tempo todo. Há uma suspensão de realidade, como já falamos anteriormente, o indivíduo ausenta-se da realidade, e quando isso acontece em função de uma frustração, de uma dor emocional, de uma confusão mental, de um engodo espiritual, religioso, nós trabalhamos no capítulo de treinamento do Pilar Mental, a saída do fluxo vicioso, está lembrado? Muito difícil, doloroso você começar a se policiar realmente para sair do fluxo ou ciclo vicioso, como você queira dizer. Outros Mestres utilizam esse conceito, estabelecer conscientemente o fluxo positivo, o fluxo construtivo, próspero, a partir de suas ações, de suas observações e análises críticas sobre você e sobre o que você está alimentando dentro de si.

Agora, você tem a oportunidade de lidar com tudo isso, vislumbrar realmente algo novo a partir de uma nova consciência. Suas ações são sempre resultado de sua consciência, mesmo sendo doloroso, sendo difícil o enfrentamento para se libertar de si. Parecia que estava tudo bem porque você estava acomodado. Aqui nós temos que observar o seu corpo, sua saúde, como você se relaciona com seu corpo físico, seu templo, como você cuida da sua casa, do seu lar, da sua família dentro de casa, sua família genética, suas amizades. Como você estabelece prioridades ou não com a vivência de lazer e o seu trabalho. Você precisa observar essas questões, entender que você é nesta vida presente a média disso. Vou dar um exemplo sobre amizade: Nós somos a média das nossas amizades, dos nossos relacionamentos. E falar: "Nossa, como eu errei". Porque está frustrado, escolhe pessoas erradas: "Nossa, em vários relacionamentos sou enganado, sou passado para trás, sou traído". E não se dá conta que essa é a sua média. Qual é a qualidade de suas amizades? As suas amizades são, em sua maioria, inferiores a você? Piores do que você? Avalie tudo, em postura, opiniões, conhecimentos, comportamentos. Entenda, você é a média dos seus relacionamentos, familiares, profissionais, amizades, e se você á a média de seus relacionamentos precisa entender que toda a vida é o resultado dessa média que você é, daquilo em que você se envolve, se relaciona.

Então, antes de culpar as coisas, os outros, você deve entender sua responsabilidade em se relacionar com e como você se relaciona. Se você se identifica em amizades que reconhece que a pessoa é muito falha, ruim, atrasada, apegada, reclamona, fofoqueira, intriguista.

Se você a vê mais vezes em rodinhas de pessoas falando mal dos outros, na maior parte dos seus encontros sociais, a futilidade impera. Avalie isso porque você é isso, e você precisa começar a decidir uma imagem diferente.

Aquela velha história que a vovó dizia: "Digas com quem andas, que eu te direi quem és". É verdade. É a média dos seus relacionamentos e a sua vida é a concretização. Pilar Material é um olhar crítico sobre o agora.

Ao falar de materialidade nós precisamos entender o que nós temos de mais concreto na existência humana, na existência material, é o seu corpo físico. Seu corpo físico é o Templo, é sagrado, é a casa, o *habitat* da sua alma, do seu espírito. Nesse momento em que você encontra-se encarnado, portanto entenda, ancorado na realidade telúrica, não interessam as coisas do céu. Há uma ideia de que temos que nos salvar, evoluir, crescer. Não, nós temos que viver em equilíbrio, organizadamente. Isso é muito difícil. Nós vivemos em um período, em um momento em que há muita polarização, tudo é polarizado, posto em extremos. Tem quem cuide do corpo em extremo, há quem relaxe com o corpo extremo.

Há quem cuide do espírito em extremo e há quem relaxe com a vida concreta em extremo. Há quem defenda o direito da religião no país laico ao extremo e há quem defenda sua religião como verdade absoluta ao extremo. Há quem defenda a questão de gênero ao extremo e há quem defenda o ortodoxismo de gênero ao extremo.

É isso que está acontecendo, estamos vivendo em um mundo chato por isso, porque quando você vem com o discurso de equilíbrio é visto como alguém que não toma uma decisão. Quando você busca uma opinião buscando a harmonia das partes, você é um desaforado, porque precisa decidir entre A e B, e essa decisão é radical, extrema, precisa ser polarizada. Precisa ser o A em detrimento do B e vice-versa.

Vemos isso na política do nosso país, ou você é vermelho ou você é azul, não tem conversa. Você não pode ser meio roxo ou tentar buscar o equilíbrio dessas cores, uma mistura dessas cores, uma sociedade equilibrada em que nem tanto um, nem tanto o outro, mas o bem comum. Você tem uma vida próspera, uma consciência próspera, quando você se observa, sua vida, sociedade, seu mundo, sempre buscando o equilíbrio. Nós somos tendenciosamente extremistas porque o ego é extremista, e nós não somos livres do ego. Em nenhum momento eu disse que devemos nos livrar do ego, precisamos nos harmonizar com o ego, educá-lo e fazê-lo entender o que é viver em equilíbrio, e o que você não quer para você. Para que o ego priorize o melhor, priorize o equilíbrio, a harmonia, o bem comum, e não o seu bem, a vantagem sobre si.

Quando o ego é educado, organizado, doutrinado, trabalhado, lapidado, você começa a ter uma consciência de que impera um sentimento de realização e felicidade de que se está bom para as partes, está excelente para você. Então, seu ego passa a agir em parceria com você, ele passa a já não ser mais a sombra que boicota você, pois faz com que você queira priorizar vantagens para si. Não existe mais vantagem para você, existe o benefício coletivo.

Vou dar o exemplo dos relacionamentos, que é o que nos afeta. De repente você se encontra com seu marido, esposa, namorado, namorada, e ali se estabelece um conflito por algum motivo e é natural, quando o ego é bicho solto, bicho selvagem, cavalo selvagem, que se você está sendo contrariado, atacado, encurralado, você queira sobrepor-se na ilusão de que está se defendendo, mas sua defesa é um ataque. Então, a pessoa pode estar falando coisas que estão te machucando realmente. Pode até ser que não seja o que ela queria dizer e não é o que ela pensa realmente, mas naquele momento do calor da discussão estúpida que se estabeleceu, fala-se coisas. Você pode reagir igualmente e isso pode até ser aceitável para a maioria das pessoas: você me provocou e eu também te ataquei. Mas quando você percebe que de repente o outro não está bem, está alterado, e o que está sendo falado está te afetando, machucando e você quer reagir igual, respire. E diga assim: "Fulano, eu não estou me sentindo bem. Talvez você tenha razão e eu não sei onde está a razão. Mas agora, nesse momento, eu não estou me sentindo bem. Vamos conversar sobre isso? Acho que realmente eu errei, me perdi em algum momento. Você me ajuda a entender isso. Conseguimos conversar agora? Quer esperar?".

Então, muda completamente a situação, a expectativa do outro sobre você. As vezes o outro quer mesmo que você entre no processo de ira em que ela está. Lapidar o ego é isso. O ego selvagem te coloca em conflito, o ego educado te ajuda a entender a situação, em que você não precisa sair por cima, você precisa sair junto. Não existem relações humanas em que um precisa estar sobreposto ao outro e isso ser saudável. Nunca será. Principalmente em relacionamentos íntimos, amorosos, conjugais. É preciso ser junto, não um sobre o outro. Então, experimente. Essa é a diferença de você ter consciência sobre si, você sentir que algo está te machucando, afetando, "também vou explodir, mas se eu já tenho a lucidez que posso explodir, posso agora respirar e dar a volta por cima". Porque quando você diz para a pessoa: "Realmente você tem razão. Como podemos resolver isso?". Pronto. Experimente.

Isso é a compreensão da vida material como um todo, o ego afeta, empaca, estraga suas relações de amizade, familiares, conjugais, profissionais. Estraga seu corpo, porque tudo aquilo que você acumula negativamente se transforma em fluxo doentio. Isso irá te enfartar, gerar um câncer em você, sobrecarregar um órgão, isso irá te danificar.

Portanto, agora quero que você volte sua atenção a seu corpo e reconheça como você está. Como você está? Está com sobrepeso ou está magro, magra além da conta? O que eu quero dizer é, você está com um corpo saudável? E talvez você diga que está muito magro porque não consegue se alimentar direito, porque trabalha demais, porque é muito guerreiro. O que quer que seja, existe algo claro no seu organismo, que é o metabolismo. A resposta vem também com a idade e com o tipo de possível distúrbio que você possa ter ou viver. Por exemplo, a tireoide, que controla o metabolismo, pode ser determinante nisso que estou falando. Não quero que você se apegue ao seu corpo esteticamente, quero que você o observe como um *habitat* saudável, que é o ambiente, a estrutura que você habita. Quem é você agora? Você é uma mente, um espírito, que habita esse corpo e esse corpo é você. Se você está com o corpo doente, sobrepeso é o mínimo, está obeso, magro demais, está com uma doença no seu corpo, enfim, o que quer que seja, isso está no espírito. Não adianta dizer que seu espírito é *fit,* mas o corpo está assim, explodindo.

Responda para si, com que frequência semanal você para tudo para fazer uma atividade física? Para ficar quarenta, cinquenta minutos só cuidando do seu corpo? É que à medida que cuida do seu corpo cuida de você. Na hora em que você está fazendo aquilo que é somente seu, vai fazer uma caminhada, a mente não para. A mente trabalha tudo o que você viveu naquele dia, naquela semana, aquilo que está ali pulsante na sua realidade. Pode ser uma saída de organização muito eficiente também, e com o tempo você vai perceber que não pode ficar com a cabeça a mil quando está cuidando do corpo. Pois quando está cuidando da sua saúde física, do seu corpo, você precisa sentir o corpo também.

Então, não importa as desculpas que você possa dar, as coisas são o que são, você precisa se organizar. Ache um tempo. É possível. Movimente-se, porque à medida que você se movimenta começa a ver resultado também de um corpo mais disposto, concentração mais eficiente, o corpo mais bonito. Então você começa a ver um resultado e será cada vez mais motivado, e irá sentir o que é cuidar do seu Templo.

Isso define sua saúde e o que você consome define sua saúde física, mental, espiritual e emocional. Porque se você se alimenta tão errado, equivocadamente, você perde concentração, perde foco. Come muito e não consegue trabalhar, se concentrar, produzir, irá te dar frustração, chamada de atenção, e você vai ficando deprimido com isso. Puxa, mas de repente foi aquela comida, aquele padrão alimentar seu que te afeta no que você está fazendo todos os dias. E todos os dias você come as mesmas coisas, também é algo estranho a se pensar. Conheço pessoas que cortam muitas coisas, mas exageram em outras extremamente agressivas: não como carne, mas como um monte de doces, não como carne, mas como um monte de massas. Porque não é restrição, é equilíbrio.

Não tomo álcool, mas me acabo no refrigerante. Então, qualquer alimentação restritiva pode ser muito perigosa. Aquilo que você corta pode ser aquilo que te dê mais vontade de comer e isso vai te trazer outros problemas emocionais e comportamentais.

Nosso corpo não precisa de restrição, nosso corpo precisa de equilíbrio. Alimente-se de forma equilibrada que você terá um organismo equilibrado. Agora você precisa observar como agride seu corpo com seus vícios. Você é tabagista, você bebe álcool exageradamente. Se você bebe álcool exageradamente todos os dias você é doente, é um alcoólico, precisa de tratamento. Mas se é no final de semana também: "Eu somente bebo de final de semana", mas esse socialmente é ir embora arrastado pelo amigo, você também tem um problema.

O equilíbrio do comportamento com o corpo está em tudo o que você faz com ele. Quando você começa a estudar e entender o corpo e como ele é mesmo incrível, existe Deus. Não dá para compreender isto aqui, esta criação, sem uma ciência suprema. É quase natural, o corpo vai falando naturalmente, vai falando com sua consciência: ok, você quer me movimentar? Então você terá que cortar aquele pastel de todo dia, porque isso que você está comendo todo dia, toda hora não está dando certo para se movimentar. Olha, você precisa se hidratar mais porque logo você cairá duro no chão. Você começa então a sentir vida.

Tudo isto aqui é para você começar a olhar para si como um corpo físico e se você ficar rezando mais do que cuida do seu corpo isso não vai dar certo. O corpo vai ficar para os vermes, vira pó. Sabe o que vai acontecer? Vão dizer que você precisará voltar. Tem pessoas que são tão relapsas com o corpo e vão para caminhos horríveis como drogas, dependências químicas que, em geral, afetam psiquicamente, afetam quimicamente.

Precisa nascer porque é encarnação perdida, só que você não nasce de novo tão rapidamente. Quando você começa a olhar sistematicamente para seu corpo, para sua saúde física, começa a avaliar o que ingere, como você se relaciona com as coisas, coloca no seu corpo e observa o impacto disso. Você realmente cuida do seu corpo, você tem o direito de comer coisas exageradamente, talvez. Não é isso, você pode ter momentos de exageros, comer fora do horário, desde que no geral, em seus dias, tenha equilíbrio.

Depois dessa reflexão sobre o corpo, entenda que seu corpo é a imagem que você transfere para os outros, e os outros são o seu trabalho, amizades, família e relacionamentos.

Há algo em você que você sabe que precisa ser melhorado, modificado e você não tem uma clareza de como fazer isso, então é melhor colocar um escudo e ficar se defendendo do que colocar um espelho à frente.

Para um Pilar Material funcional existir, você precisa se preocupar com a opinião dos outros sim, porque a opinião que os outros têm sobre você te define, além de si. Veja, mas não é martirizar-se, não é "morrer" em função da opinião dos outros. E você sabe, consegue ter discernimento. Opinião em rede social não vale, estamos falando de opinião de quem se relaciona com você fisicamente, presencialmente. Mas se você começa a levar em conta a opinião das pessoas que estão a sua volta, próximas, que te conhecem, a opinião do estranho deve servir somente de sinal de por que você causou essa impressão em alguém que nem te conhece?

Veja bem, avalie, há pessoas que você conheceu e no primeiro contato você sentiu repulsa, achando a outra pessoa carrancuda, mal-humorada, fechada. E há pessoas que no primeiro contato te ganham, te envolvem pelo jeito que são. Nem sempre significa algo do caráter da pessoa, aliás, as pessoas muito mau caráter, na maioria das vezes, são muito simpáticas. Isso vai definindo como você se aproxima, como se estabelece, fortalece ou não as relações. Então, você deve se preocupar com as opiniões sobre você daqueles que estão a sua volta, ao menos como norteador: preciso rever isso, pensar isso, por que essa pessoa teve essa opinião? Por que ela está falando isso para mim? Onde posso me observar, me corrigir e levar em conta? E até onde isso é somente um equívoco da pessoa. Ou a pessoa pode ter uma antipatia sobre você. Quando isso é claro para você, isso pode ser um problema dela.

É preciso ter maturidade sobre isso, para você não ficar sofrendo à toa ou em função disso. É muito comum grupos de amigos fazerem seus encontros sociais, e é sempre a regra, o problema é a regra: vamos na casa do fulano, cada um leva seu prato, seu pedaço de carne, sua bebida, e vamos confraternizar. Quando você cede a sua casa para que cada um leve seu pedaço de carne, sua comida, sua bebida, para confraternizar, você é alguém que cede um espaço na roleta para confraternizar. Ser anfitrião é chamar para o seu convívio, para a sua intimidade, alguém para viver uma experiência com você e sobre você no seu primor, isso é ser anfitrião. Quando você quer ser anfitrião para fazer fluir esse Axé, quando traz para sua casa pessoas de que você gosta, e que você faz questão. Essa é a relação que você precisa ter com sua casa, com sua intimidade. Sua casa, seu interior. Sua casa, sua fortaleza. Você traz para dentro do castelo só quem você confia, só quem você quer bem, quem você admira, quem você quer se relacionar. Senão você abre espaço para invasão, abre espaço para perturbação, para o caos.

Então, você traz para dentro de casa e esse movimento simbólico é: trago para dentro de mim. E quando trago para dentro de mim, o que ele encontrará? Se eu for para dentro de você agora, o que encontrarei? Uma dica do Exu do Ouro é: movimente o Axé dos relacionamentos. Eventualmente, não muito frequentemente, mas nem muito esporadicamente, faça pessoas do seu convívio também irem para sua casa, e também aceite o convite delas. Faça uma relação íntima, e você é o anfitrião quando você recebe em casa. O que significa? O que eu preciso levar? Nada, você precisa vir. E quando você é anfitrião, você recebe a pessoa, e ela receberá o seu melhor.

São essas relações, esses fortalecimentos nas conexões que nós temos que mantêm um fluxo positivo poderoso fluindo. É incrível e mágico, faça isso e verá a experiência como é. Você estabelece um movimento diferente de energia, isso reflete na intimidade da sua casa, principalmente quando a casa está há muito tempo sem receber ninguém e as coisas ali na intimidade da casa vão ficando meio tensas, caóticas, atravancadas, por questões das intimidades mais profundas. Então, é hora de você trazer alguém de fora, que é benquisto para quem está lá dentro, e fazer um movimento. A energia positiva da felicidade que está sendo recebida por você invade aquele território, aquelas pessoas, e isso é mais poderoso do que defumação. É mais impactante, vibracionalmente falando, no ambiente, nas pessoas envolvidas, do que a defumação.

Quando você faz isso de uma forma organizada, não constantemente, mas com uma certa periodicidade, você mantém um fluxo muito positivo. Exu do Ouro enfatiza que isso é a maior purificação de ambiente que nós podemos fazer. É quando estabelecemos o momento de ser anfitrião, e trazer pessoas queridas para dentro do ambiente, e você dá conta daquilo. A mensagem que dá para o outro é essa, de muito carinho, acolhimento, muito bem--querer, e todo mundo retribui muito bem energeticamente quando você é benquisto. Ou não é com você? Qual foi a última vez que você foi chamado para ir na casa de alguém, ou foi convidado para jantar, almoçar com alguém, e esse alguém pagou a conta? Como você reagiu? Como você sentiu esse momento? É diferente você chegar para algumas pessoas, amigos, enfim, e dizer: "Vamos almoçar? Jantar?". Mas cada um por si. Outra coisa é você dizer: "Estou te convidando para você jantar comigo, e almoçar comigo em tal restaurante". Isso é minha responsabilidade. É muito diferente. Faça a experiência, e faça assim: chame uma semana um grupo de amigos cada um leva o seu e depois de uns dias, uns quinze dias, reduz isso para aqueles, aquele casal, aquela pessoa que é querida a você, em que você será o anfitrião, anfitriã, irá receber a pessoa, e veja por si só o resultado disso.

Exu do Ouro é o glamour do anfitrião, ele é o espírito anfitrião, porque aquele que transmite amor nos relacionamentos transmite bem-querer, aquele que é feliz pelo outro, feliz pela presença, pelo convívio, isso é Exu do Ouro. Fica a aqui a orientação de um Pilar Material em que você cuida das relações de uma forma íntima, pessoal e profunda. Pense nisso, faça isso e colha os melhores resultados.

Insisto na ideia, e Confúcio disse isso já: "Descubra o que tem prazer em fazer e você não trabalhará nunca na vida". Faça o que gosta e você não trabalhará um dia sequer. E há quem diga que não é todo mundo que consegue trabalhar no que tem prazer, "é que talvez o meu prazer seja brincar de ioiô e não necessariamente conseguirei ganhar dinheiro brincando de ioiô. Talvez eu possa fabricar ioiô, mas ao fabricá-lo terei outras coisas bem chatas necessárias para fabricar o ioiô, como funcionários, gestão burocrática, imposto, contas a pagar e isso não é brincar de ioiô". Temos que sair dessa superficialidade do que é prazer no que faz, é obvio o que não dá prazer: "Eu odeio o que eu faço". Então, não faça.

Se aquilo que você faz a maior parte do seu dia, profissional, é algo que te machuca, algo que te ofende, incomoda, não faça, saia disso. "Só estou fazendo porque é a única oportunidade que eu tive", você está errado, você não está se dando oportunidade. "Meu prazer é dormir", aí realmente não dá.

No entanto, você precisa dignificar o seu trabalho. Não adianta você falar que não gosta do que faz. O que é que você não gosta no que você faz? É realmente do começo ao fim que você não gosta?

Pare de fazer já, pois você vai morrer doente por isso. Mas também não entre na ilha da fantasia: "Vou brincar de ioiô e vou ganhar dinheiro". Pode ser que você vire uma fera do ioiô e ganhe dinheiro com isso, mas é um em milhares. Não é isso. Seja sensato, organizado, mediano. Você precisa ter prazer no que faz e reconhecer o caminho para ter os momentos de maior prazer, que para se ter o melhor momento de prazer, é isso. É como um professor, ele tem prazer em dar aula, mas não necessariamente que ele tenha prazer em corrigir prova e lançar nota. O médico tem prazer em atender o paciente, em curá-lo, mas não necessariamente ele tem prazer em gerenciar a clínica, em ficar cuidando das coisas burocráticas. Então as pessoas vão gerando frustrações no seu dia a dia porque se apegam às palavras de Confúcio.

Você cuida do espírito, cuida do coração, da mente, das questões sociais, relacionamentos e tudo mais. Mas há algo que define o motivo talvez de você ter começado esse treinamento, que são as finanças, o trabalho, o dinheiro físico propriamente dito. Como você lida com o dinheiro físico? Como você produz o dinheiro? Como flui o dinheiro? Talvez você seja alguém que tenha um emprego, ou você é aquele que é o empresário, empreendedor. Talvez você não esteja empregado, nem empreendendo, está em uma situação tentando encontrar um caminho nesse sentido.

Aqui o ponto crucial é você avaliar como lida com o trabalho. Refletir sobre a relação que você pode ter com o trabalho e lamentação e isso reflete dentro de casa, repercute isso na sua energia, na sua relação familiar, quando isso é negativo. Veja, o trabalho é algo que dignifica o homem e você deve ser grato ao trabalho, independente de como ele é. A questão é que, você tem um emprego? Você pediu para ter esse emprego, né? Não foi ninguém bater na sua porta falar "por favor, trabalhe aqui, pelo amor de Deus", e você compadecido foi lá trabalhar. Não é assim que funciona. Você vai, bate na porta e pede o emprego, você vê a oportunidade de uma vaga na empresa e você foi lá, levou seu currículo, passou por um processo seletivo e está empregado. Como você se relaciona com esse trabalho? Com esse emprego e com o trabalho, porque são coisas diferentes.

Como você se relaciona com o trabalho? Trabalhar é algo ruim? É algo que te incomoda? Você se incomoda com o horário do seu trabalho? Você se incomoda com a rotina do seu trabalho? Com o trabalhar em si?

Não, trabalho é algo que realmente entendo, sou uma pessoa adulta e trabalhar é algo importante e que me faz bem. Se você está em um ponto, em um momento da sua vida que você não está gerando renda, por algum motivo você está em uma situação de desemprego, então você deve avaliar nesse sentido. Como você pode melhorar seu currículo para você se tornar mais interessante para o mercado de trabalho? E, se nesse momento você entende que perdeu o emprego e tem muita vontade de fazer algo sozinho, avalie se você não é mais um que vive a síndrome do "ser patrão", que o Brasil tem muito forte. Existe uma infantilidade por trás da ideia de ser empresário, onde o indivíduo pensa que ele trabalhará menos e ganhará mais.

Quando ele pensa assim, ele não sabe o que é empreender, ele não sabe o que é liderar um grupo de pessoas, abrir um negócio. Não faz a menor ideia. Ele está realmente na escola infantil do trabalho. No Brasil existe essa mentalidade, todo mundo quer trabalhar um tempo para aí abrir seu próprio negócio, e não importa o negócio que seja, tem um momento que você faz sozinho e se aquilo der certo, se aquilo crescer, você não poderá fazer sozinho. Muitas vezes a pessoa quer abrir um negócio, quer ser dona de um negócio, empresária, dona de si, porque quer fazer o próprio horário e descobre que, se ela for fazer cachorro-quente na esquina de qualquer lugar, na esquina de alguma empresa, ela tem um trabalho a ser feito. Ficar a noite anterior preparando todo o aparato de produção para chegar ali no horário e ralar para fazer isso acontecer, e depois tem mais disso. Aí ela percebe que agora ela trabalha muito mais do que trabalhava antes. E se ela está no começo do empreendimento, trabalha-se absurdamente mais do que se imaginou. E para ela poder amanhã delegar para outras pessoas algumas coisas, ela precisa dominar aquilo, entender o caminho que ela queira que seja trilhado.

Então, se você conseguiu romper com essa ilusão de que ser patrão de si é trabalhar menos e ganhar mais, você está começando a ser alguém com possibilidade de sucesso ao empreender qualquer coisa. Você precisa dominar o que irá empreender, entender o mercado que quer empreender. Quer empreender? Procure ajuda profissional, orientação, consultoria. O que quero dizer aqui é assim, como você se relaciona com o trabalho? Você precisa avaliar isso. Porque se você está descontente com o seu ordenado, com a sua produção, se você está em um momento de inércia, não está gerando renda, nosso assunto seria mais pessoal. Precisa mudar essa realidade, precisa conseguir um emprego ou gerar um fluxo de rentabilidade.

Quando a pessoa pede para trabalhar em um ambiente e começa a ter lamentações sobre aquilo só que não quer trazer soluções, o caminho natural é sair daquilo, precisa ser honesto consigo mesma. É ser honesto com você, "eu me enganei, esse ambiente de trabalho, esse emprego, não é bem o que eu quero, não é bem o que eu esperava. Mas eu preciso garantir o meu no final do mês". Você vai garantir um ordenado amaldiçoado, porque você o amaldiçoa todos os dias, você lamenta a fonte dele todos os dias, você reclama, não vai feliz trabalhar, não desenvolve com felicidade seu trabalho.

A postura de lamentação com seu trabalho ou com seu negócio, seja lá o que for, é uma espécie de aprisionamento de fluxo. Quando você começa a aprisionar o fluxo por conta de uma postura que você tem, então entra em uma cadeia de desgraça, e isso irá só piorar. Eu já trabalhei com muitas pessoas e sempre achei muito curioso, sempre trabalhei com alguém que era muito infeliz ali onde estava, no emprego que tínhamos. Tinha sempre um que sempre reclamava, reclamava do patrão, do horário, das coisas, tudo estava ruim. E eu sempre vi isso com curiosidade, porque para mim sempre foi claro, se eu não estou feliz, eu saio.

Se almejo outra coisa, vou em busca disso. Tive alguns colegas de trabalho que ficavam o tempo todo lamentando, uma hora isso dá um resultado, e o resultado era ser mandado embora, e esses entravam em um colapso de lamentação, como "o que eu fiz?". Não precisava ter feito nada de específico, de ruim, mas só o fato de estar ali com essa energia, já não merece estar.

Não existe trabalho ruim, existe o reconhecimento se aquilo serve ou não para você. Vemos nos terreiros por exemplo, nas consultas, a pessoa chegar na frente da Entidade e pedir para que abram seus caminhos profissionais, e a Entidade pergunta: "Mas o que você procura? Qualquer coisa. Serve mesmo?" E talvez a pessoa está tão desesperada que ela aceita realmente qualquer coisa, coisas que não têm nada a ver com ela, que ela não vai suportar, mas aceita. Isso é a desonestidade. Se por um lado não dá para você sempre escolher o que gostaria, que é dormir, talvez, mas também você não deve aceitar aquilo que vai te machucar, aquilo que será muito ruim para você. A relação com o trabalho precisa ser uma relação em que você, no resultado final, consiga perceber um aprendizado, consiga perceber o equilíbrio no qual, por um lado você aprende coisas e por outro você soma com a estrutura. Você precisa encontrar sentido naquilo que faz. Se aquilo que você faz tem algum sentido, eu diria que você está no caminho mesmo da felicidade.

Não dá para ser alegre o tempo todo no trabalho, só se você for um histérico, um doente, que está alegre o tempo todo. E está escondendo alguma coisa, tem algum problema emocional, porque não dá para ser. Agora, você pode ser feliz com o que você faz. Felicidade e alegria não são as mesmas coisas. Alegria são momentos de êxtase. Felicidade é quando no conjunto de ser o que é, no fazer o que faz, tem sentido. Você tem uma rentabilidade de dez, mas você tem uma necessidade de doze, agora é hora de colocar isso na mesa. Você precisa entender se esse doze é excesso ou se realmente, para viver minimamente com dignidade, é doze. Mas se você só consegue dez, precisa revisar onde que está o erro. O erro está no mesmo nível, você não tem exageros que possa equilibrar para equalizar, para sair de uma realidade de endividamento ou coisa parecida, estresse, você precisa encontrar outro caminho em que possa expandir essa rentabilidade, para no mínimo, equalizar isso. Talvez é trazer um talento à tona, paralelo, ou uma mudança mesmo de caminho.

O que te deixa infeliz no trabalho? Você precisa identificar. Se é a rentabilidade, você reconhece que pode rentabilizar mais? O fluxo da prosperidade, a partir de uma consciência próspera, entenda bem o conceito do termo, é fluxo, algo que flui. De modo que dinheiro, por exemplo, é algo que vem e precisa fluir, volta e vai. Vem dez, e sai nove, para manter o equilíbrio, a segurança e a serenidade. Se vem dez e sai doze, está tudo errado aí. Você está represando alguma coisa, em algum lugar, está excedendo em algum lugar. Precisa observar isso, tomar cuidado, porque aí você estará no contrafluxo, ou fluxo manco, e chegará uma hora que esse fio vai enfraquecendo e se romperá e perderá o fluxo. Irei falar mais disso, mas somente para compreender, fluxo é fluir, não é represar, segurar, não é Tio Patinhas.

O trabalho é a casa principal desse quadrante que é o Pilar Material, e há uma diferença grande entre ter um emprego, empreender, não importa o que seja.

Qual é o caminho que entendo, com meu aprendizado pessoal, acima de tudo, onde é que você esteja, se é o seu negócio ou o negócio de alguém, se você é um colaborador, seja um empreendedor de si: não dá para você empreender negócios ou ser um colaborador simplesmente. Empreender não é abrir coisas, montar negócios, não é comprar uma franquia, um trailer, uma câmera, não é isso empreender. Você somente empreendeu, quando aquilo que você criou, o que faz, gera reconhecimento, gera fluxo. Percebo que as pessoas não entendem que onde quer que ela esteja, qual a posição na qual ela esteja, precisa ser empreendedora de si.

Se você está atento que a cada dia precisa ter uma superação em você, naquilo que você faz, na sua ação, de melhoria, o sucesso econômico e profissional é algo que acontece com naturalidade. E não existe de uma hora para outra, sempre uma construção. Não existe caminho fácil, rápido, existe um caminho de construção. Você entende isso com clareza? Porque esse é o ponto-chave desse quadrante que é o Pilar Material, que está no seu trabalho, no ponto que você dedica a maior parte do seu dia que é para gerar rentabilidade econômica. Comece a considerar isso. Seu trabalho, seu ofício, sua fonte de renda, é onde você dedica a maior parte da sua lucidez, da sua vida. Porque uma parte nós dormimos, outra grande parte trabalhamos e aí sobram alguns fragmentos do dia para religião, espiritualidade, família, lazer. Lazer não é nem do dia, simplesmente é um período de um final de semana, de um dia do final de semana talvez. Porque também você irá descansar, o ócio é importante para reflexão, para recomposição.

Pensar como você chegará na conquista de suas ambições a longo prazo, e é um caminho. Então, o trabalho é determinante nisso, é definitivo. Aqui é o ponto de curar e harmonizar sua relação com o trabalho.

> **DICA:** pare agora a leitura e retome amanhã, concentre-se em fazer a dinâmica prática.

DINÂMICA PRÁTICA SUGERIDA:

Material:
1 vela palito bicolor amarela e preta ou uma de cada cor
7 moedas de 1 real
7 cédulas de valores variados
1 incenso de canela
1 charuto
1 vinho tinto seco
Canela em pau, cravo-da-índia, folhas de louro, casca de maçã (pode ser da atividade anterior) e semente de girassol, para fazer banho.

Instruções:
Faça um banho com os itens descritos acima. Ferva 300 ml de água mineral, quando a água entrar em ebulição, desligue o fogo e coloque as ervas, abafe o recipiente e deixe descansar por, no mínimo, quinze minutos. Depois, complete com água mineral em temperatura ambiente para ficar na temperatura ideal para o banho.

Tome o banho de higiene e ao final jogue o banho de ervas (já coado) no corpo, incluindo a cabeça.

Após o banho, vá fazer a firmeza.

Acenda a vela, circule com as cédulas e coloque uma moeda sobre cada cédula, com muita concentração e evocando a presença da força de Exu do Ouro.

Deixe a garrafa de vinho, ainda fechada junto da firmeza, e peça a imantação dela.

Acenda o charuto e, concentrado em bons pensamentos e atração positiva da prosperidade, bafore sete vezes os elementos.

Desfecho:
O ideal é receber ou sair com alguém querido e servir este vinho. Caso vá exercer o desfecho no mesmo dia da firmeza, já sirva uma taça deste vinho ao Exu, ou faça isso na ocasião. Recomendo que o faça em no máximo sete dias após a firmeza.

O dinheiro pode ser retirado no dia seguinte e circulado normalmente.

CAPÍTULO 8

DESPERTO

De alguma maneira, por algum motivo que talvez não tenhamos controle sobre isso, nascemos nesta realidade dormentes. Ao abrir os olhos, a partir do nascimento biológico, não significa que estamos com os olhos do espírito e alma abertos. A maioria das pessoas, invariavelmente, permanecem dormentes até o fim da passagem, da trajetória. Não são muitos que têm a oportunidade de acordar, de despertar, de iluminar-se.

Você se permitiu trilhar um caminho que é uma Jornada. Esse Rito de Passagem, como nós denominamos, é uma passagem do encontro do indivíduo consigo, é você indo ao encontro de si mesmo e reconhecendo-se nesse caminho, nessa trajetória. Passando a entender quem é você, você só consegue refletir sobre si próprio agora com clareza, quando você se ilumina de si. Não é uma luz que vem de fora, mas é tornar ciente, consciente da sua luz interior. Nas tradições orientais, asiáticas, que vão pregar que o indivíduo precisa encontrar a sua luz interior, não existe essa coisa da evolução como é colocado aqui para nós.

Você sofre para poder lapidar, porque o sofrimento é um ponto de vista, uma interpretação que você faz de si mesmo e das coisas a sua volta, por isso que alguns Mestres orientais afirmavam que "A dor não existe. O sofrimento não existe. Mas existe a sua ideia, a ideia que você dá para as coisas, a forma como você se relaciona com tudo". É isso que significa nosso Rito de Passagem para a consciência próspera. O Rito de Passagem nada mais é do que você ir até o bastão de luz que está dentro de você, pegá-lo e agora segurá-lo e andar lúcido.

Estar desperto é estar iluminado, mas não de uma luz como essa lâmpada, não de um espírito iluminado que fica próximo, não de uma Divindade, já que Deus, Olorun, Zambi, Oxum, se manifestam de dentro para fora.

Então, bato cabeça, reverencio, contemplo e me relaciono, mas isso é rito, símbolo, mas você precisa ter em mente que o que ocorre é você dentro de si, a Divindade dentro de você, a fonte da consciência próspera e, portanto, da abundância, está dentro de você. Oxum está dentro de você, Deus está dentro de você, Exu do Ouro se estabelece dentro de você.

Quero falar sobre o Ser Desperto, quero falar sobre o amor e sobre a Boa Aventurança, a Abundância...

O que significa Ser Desperto? Significa o estado no qual eu espero que você se encontre agora. O que é uma boa conduta? É harmonia. Então, você precisa estar em harmonia com a realidade da qual faz parte, com a cultura de que você faz parte, deve estar em harmonia com a família da qual você faz parte. E quando não está em harmonia, é provável que seja o sinal de que você não está desperto porque aquele que está desperto está aceso. Ele percebe o tempo todo o resultado das coisas em si mesmo, percebe o peso e a consciência de todas as ações, pensamentos e sentimentos. Estar desperto é algo que você atinge e dificilmente você permite que se apague, se adormeça novamente.

E como eu disse anteriormente, de alguma maneira esse é o objetivo instintivo, original dos indivíduos encarnados. Ocorre que muitos pensam que alcançaram esse despertar. E quando não é real o despertar? Quando, por exemplo, você está todo envolvido com uma ideia, com uma religião, você acha que está iluminado, mas o outro te incomoda, o fato do outro não estar te incomoda. Você tem necessidade de apontar o outro, cobrar do outro. O outro que está ali do seu lado.

Isso é um sinal de que você não está desperto. Porque quando se está desperto, se está em paz, em paz com você, logo você está em paz com o outro, porque no outro somente te incomoda aquilo que te alerta sobre sua própria sombra.

Quando se está desperto, se está iluminado e a sombra é minimizada na sua totalidade. Ela existe, mas quando aparece é bem-vinda, você lembra que tem sombra. Não é pavoroso, não é incômodo. Você somente se incomoda com o outro, o jeito, o tempo do outro, se você está muito preocupado em provar para você que não está convencido.

Essa é a raiz do fanatismo religioso, por exemplo. Ele está tão mal convencido sobre aquela ideia, que tenta convencer os outros o tempo todo, porque quando ele consegue, se consegue, convencer alguém, ele se convence um pouco mais.

Toda ação extrema, no fundo, revela um vazio sobre aquilo que o indivíduo está sendo extremo e não totalidade daquilo. Não é o transbordamento, porque quando se está em paz, o que transborda de você é a paz. Esse treinamento foi sendo gravado ao mesmo tempo em que foi acontecendo, então eu tive a oportunidade de ter tido um contato ao longo do processo com alguns de vocês.

Dentre tantas coisas que eu poderia contar, muitos relatos, revelações e muitos desdobramentos incríveis. Alguns quero contar, pois ilustram bem a questão de estar desperto. Um caso de alguém que está próximo de mim, ele me contou que foi em uma loja comprar o recipiente de cerâmica para poder fazer o assentamento do Exu do Ouro, ele chegou no local e a vendedora perguntou para que seria. Uma invasão, mas ok, ele não queria dar explicação e respondeu que era para a mãe dele e despistou o assunto. Já no caminho de volta, ele começou a remoer, porque ele entendeu que mentiu ali e aquilo não é Exu do Ouro, embora eu também tenha dito a ele que não é Exu do Ouro ficar dando satisfação da sua intimidade. Mas é que a resposta poderia ser outra. Poderia ser, não interessa, e simplesmente encerrar o assunto. Mas o que o incomodou é que ele está desperto, o mínimo ato, a mínima ação que foge do que já se compreendeu do fluxo, então se eu conto uma mentira, uma mentira é um ponto de represamento, de paralisação do fluxo, e isso que incomodou ele.

Se liberte da culpa e siga adiante. Não aceitar o fato de que contei uma mentirinha e não precisava ter feito isso, não é o que fere Exu do Ouro, "Será que Exu do Ouro vai me castigar?", não é nada disso. O que fere é "Nossa, eu poderia ter ficado sem essa, sem isso na minha história".

Uma questão de dignidade, uma questão íntima, a pessoa nunca saberá que ele não falou a verdade, teoricamente não haverá maior impacto na imagem dele, mas não importa o que o outro pense nesse sentido, porque o que mais importa, o que mais tem peso é o que você pensa sobre si mesmo. É o que você sabe sobre si, o que você cuida para que você tenha a melhor imagem de si, para que você durma em paz, sabendo que no seu dia você agiu honestamente, transparente, com verdade, com respeito, caridade, com amor.

Suas ações, não importa em que âmbito estejam, nas relações pessoais, no profissional, não interessa. As suas ações foram guiadas pelo amor? Então, se é guiado pelo amor, não erra. Estar desperto não é sofrer, e agora quero que você tenha atenção, porque parece que quando se está desperto o que vem em seguida é a loucura. Parece que vamos enlouquecer, ou vamos nos sentir cada vez mais estranhos no ninho. Não. Se você está desperto, de alguma maneira precisa entender que você é um canal divino, é sua própria luz, mas você passa também a ser um canal de Oxum, um canal do fluxo do Exu do Ouro, um canal de Deus.

Todos somos um canal, mas somente é de fato quem está consciente disso, desperto sobre isso.

Então, é possível que você ainda esteja sentindo uma náusea, pois você está desperto, mas agora está vivendo um inconformismo. Você não se conforma com a política do país, de estar na fila do banco e ver a pessoa entrando na frente. Você fica furioso, você vê a pessoa parando errado na vaga de carro e fica mais indignado. Você quer que o mundo fique igual a você agora, iluminado, quer que o mundo fique honesto. Seria tão simples e tão mais pacífico e agradável esse mundo, se as pessoas no mínimo seguissem as regras, leis e bom senso nas relações, seria mesmo.

Mas você precisa entender que estar desperto é também tirar o pé desse acelerador. Entenda bem, é de alguma maneira lavar as mãos a respeito do outro que insiste em ser o que é. Você é um canal desse fluxo agora, mas você só deve fluir para quem quer, senão você será represado. O que fluirá através de você será represado e quando há o represamento, há desgraça, miséria.

Porque abundância é fluxo, prosperidade é fluxo, é o rio que corre sem parar. Quando ele deságua no mar, ele está no ouro, em seu ápice. Ali ele encontra imensidão de ser o que é. Quando você está em paz, é você desaguando no oceano.

No seu silêncio, você deve sentir-se no oceano. No dia a dia o fluxo não pode parar, então não é para enlouquecer, nem se inconformar, estar em paz é olhar tudo a sua volta, é ver o caos e a guerra a sua volta e encontrar meios, buscar meios em você de como fluir ali o que está represado, o que está estagnando...

Quando se está no amor, se tem essa intenção, de ser o canal que leva luz nas trevas, de ser a fonte daquele que leva harmonia no caos, daquele que leva o amor quando há ódio. Pensando nessas ideias, que não adianta você agir igual, se revoltar, mas se você está mesmo desperto, você está em paz. Se você ainda está em conflito, mas lúcido. Está mais iluminado, mas ainda está em conflito, entenda, você está no caminho. Continue, pois você ainda está fazendo o Rito, a Travessia, a Passagem.

Você estará desperto no dia em que conseguir respirar e ver o caos com amor, ver o caos com paz, ver o sofrimento e encontrar ali resposta. Ver as pessoas sofrendo, com dor, com dores na alma e você sentir mesmo que você pode fluir ali algo curativo, libertador, potencializador do indivíduo, mas isso é um caminho.

Reconhecer que no final das contas está tudo certo, pois tudo aqui na realidade é cocriação dos que habitam a sua cidade, seu bairro, sua casa, sua vida. Resultado das suas ações e ações coletivas, das decisões, do que se vibra e do que se carrega. Então, estar desperto é o objetivo de todo esse treinamento.

Uma vez desperto você não apaga, você é lúcido e consciente e, portanto, consciente de que é agora uma das passagens desse fluxo. E esse fluxo somente fluirá se existir de fato ali, isso tudo está integrado, não há separações, mas separei para poder abordar, você viver a experiência de uma consciência próspera. Consciência próspera é nada mais nada menos do que desenvolver, ou alcançar, brotar, fazer ser imanente a experiência de amor. Que não é desejo, posse, que não é o outro, é você.

É você consciente situado no mundo, lúcido de quem é você e o que tem e pode oferecer, para si, para outro e para o mundo. Temos a impressão às vezes de que a base, o alicerce, o sentido de uma religião é a fé, só que não. É o amor. Sempre é o amor.

Os grandes avatares da humanidade dos quais temos notícias, e que são os mais inspiradores até hoje, desde os atuais aos mais antigos e remotos, são lembrados e seguidos porque na sua base de ideias está o amor.

Sidarta Gautama, o Buda, vai falar sobre a iluminação, autoiluminação, e se você destrinchar esse ensinamento de como se chega à iluminação, verá que é um despertar de amor-próprio e lucidez sobre si. Uma vez lúcido sobre você completamente, suas trevas e potências, cada vez mais você vive em harmonia e expande sua consciência. Jesus na Umbanda é o principal avatar nesse particular, Jesus é, portanto o maior pregador, a maior referência humanizada do amor.

Embora sua história na Bíblia mostre ser humano demais, como qualquer outro, a sua mensagem é de amor e é isso que importa. Ele vai dizer que existe na relação homem e Deus uma relação de amor. Assim como tantos outros avatares da humanidade, que são relevantes, porque a sua pregação é o amor. Por exemplo, Moisés não é relevante, Moisés prega outra ideia, está em outro contexto, e o que vai imperar quando se trata de justiça, por exemplo, é a Lei de Talião.

Há outras religiões que mesmo que tenham seus Mestres particulares, há sempre um discurso em que não é o amor que impera. Então, não há tanta ressonância, ou, há um extremismo que vivemos no mundo que está sendo benquisto pelos jovens, as coisas estão muito polarizadas. Isso é um fenômeno que está acontecendo mundialmente e tem a ver com o período que vivemos, da própria comunicação desenfreada e as pessoas não sabendo lidar muito com isso.

O que significa no final das contas, com tanta polarização, tanto extremismo? Não há amor, isso é um fato. E quando se fala em amor nos vem à mente primeiramente a ideia romântica, erótica, que temos do amor, eu e outra pessoa. E normalmente quando vemos essa imagem, vem a imagem de posse. A imagem de minha, do meu fulano, fulana. Então não é nada disso, se sua relação conjugal é uma relação de posse, não é amor.

Há uma outra interpretação de amor. O que estamos falando aqui é de amor fonte, origem, Deus, Oxum, Jesus, isso é amor. Para Jesus, não foi necessário criar regras de como ir para o céu, ele não queria dez mandamentos. Jesus não se preocupou com o que era necessário fazer para garantir a salvação de fato, embora ele tenha dito: "Aqueles que vêm a mim, vêm à Luz, vêm à Salvação". Mas por quê, quem vem a mim? Quem é ele naquele momento? Vêm ao amor.

Quem vai ao amor encontra a luz, encontra o paraíso, quem estaciona sob a sombra do amor encontra a boa aventurança, a felicidade celestial, a felicidade divina, a graça. Bem-aventurado é aquele que está sob a graça da felicidade. Felicidade que não se explica, felicidade que não é alegria. Se você passa a maior parte do dia alegre, rindo, talvez você tenha uma doença, seja um histérico ou esteja escondendo algo. Alegria e felicidade não são as mesmas coisas.

Felicidade é um estado de espírito, alegria é um estado momentâneo de euforia. A pessoa que gosta de chocolate fica alegre quando vai comê-lo, e depois a alegria passa. Felicidade não, você tem ela em você se tem ou não chocolate. É um estado de espírito, de consciência, de alma.

Na crença Cristã, isso é chamado de Boa Aventurança, de bem-aventurado: feliz em Deus aquele que não se conforma com as injustiças. Estará feliz aquele que habita no amor. A criação, você, é resultado do amor do Criador. Qual é a potência? Qual é o ímpeto que brota de Deus para criar? Amor, um amor absoluto. Não é fé, nem conhecimento, nem geração, é amor.

Nós saímos do amor para voltarmos lúcidos ao amor. No amor, por amor, em amor, você não erra. Pode se exceder, afetar alguém, mas se estava movido pelo amor, até o afetado entende que não havia uma má intenção, por exemplo. Porque ninguém rouba por amor, ninguém mata por amor, nem ofende.

Quando você ama alguém e essa relação é de amor Eros, e em uma discussão você a ofende, você não fez isso por amor, naquele momento você esteve ausente.

No calor de uma discussão você se ausenta na sombra do amor e então age de outra forma. Mas se o amor está à frente, há sempre muito zelo com tudo, muita consciência, muita lucidez. Nós, como seres humanos, despertando apenas mais conscientes que somos limitados, muitas vezes ou na maioria das vezes estamos suspensos. Não estou dizendo que você agirá daqui para a frente como um Guru, um Mestre Celestial, mas ao final do dia você precisa, pelo menos, recobrar tudo isso. Nas suas principais decisões você precisa agir com amor, buscar a inspiração no amor. Precisa resolver um conflito com alguém, buscar a resposta no amor e não no ego. O ego continuará aí, assim como o amor, e é você que escolherá como você se relacionará com uma determinada situação: quem vem na frente, o ego ou o amor?

Estar desperto, manter-se lúcido, é também encontrar a fonte do amor na sua vida e trabalhar isso em você. Então, quando falo que você se torna um canal agora, essa é a responsabilidade que você assume, de cuidar para que as coisas fluam com amor.

Porque como eu estava dizendo, Jesus não se preocupava com outras coisas, sabe por quê?

Porque no amor tudo se resolve, porque quando há amor não há conflito. Vou dar um exemplo, quando você está desperto. E estar desperto é reconhecer suas limitações, reconhecer suas dificuldades e seus erros, e não sofrer com isso, mas enfrentá-los. Reconhecer que o outro erra, que o outro se excede e que tem imperfeições e tudo bem. Nisso, você reconhece facilmente injustiças, por exemplo o homens correndo atrás da mulher adúltera para apedrejá-la, porque essa era a lei. E Jesus pede atenção e pergunta: "Acaso alguém aqui está livre de pecado? Quem nunca pecou que atire a primeira pedra. Todos vocês estão livres de pecado?". Por que Jesus fez isso? Por que ele era um homem extremamente consciente? Não, porque ele estava indo no amor.

No amor você olha para um conflito e clareia, o fato em um silogismo simples, uma reflexão simples: "Oras, porque irão apedrejar essa mulher sendo que ele também tem um pecado que dá para jogar pedra nele?". E aí, ele vai querer que joguem pedras? E você, que julga tanto os outros, gosta de ser julgado? Como você se comporta quando descobre que alguém fez um julgamento sobre você? Quantas vezes passamos por isso?

Seja no emprego, no grupo de amigos, na família, somos pré-julgados, condenados, mal interpretados. E aí, como você se comporta? Por estar em estado de amor, comprometido com o amor, você vê conflitos e consegue encontrar um ponto de equilíbrio. É isso, quando não se está no amor, quando não está desperto para a reflexão, você entra em uma das partes, você assume uma parte do conflito.

Sabe aquela coisa, homens bobos fazem isso, jovens bobos, estão em um bar, em uma festa, começa o amigo a arrumar confusão vão todos os colegas e vira uma briga de grupos. Um batendo no outro, porque ninguém está desperto lá, ninguém vai chegar e dizer: "Afinal, por quê? Qual a questão aqui?". Estar no amor é ser um canal da Fonte, da origem, verdade, serenidade, da paz.

Agora, uma vez desperto a isso e pacificado no amor, você consegue pensar sobre o peso das suas palavras e de suas ações. A tendência é que você abra a boca mais para construir, harmonizar, esclarecer, iluminar, do que ficar perdendo tempo com questões sem nenhum tipo de produtividade e efetividade na sua vida, na vida das pessoas e tudo mais.

Então, a fonte de todas as soluções, quando se está no amor não há conflito, prejuízo, erro; caridade para evoluir, ajudar o outro para poder se ajudar, fraternidade, solidariedade, não são assuntos a serem trabalhados como conceito para uma vida, porque o amor já traz tudo isso junto com ele.

O amor traz com ele a justiça, a caridade, a bondade, o bom senso e a ética. Que você tenha a partir dessa experiência toda uma vida assentada no amor, desperto para o amor, do grande mistério que é Deus, Olorun, Oxum, Exu do Ouro. As tradições filosóficas descobriram desde cedo que o motivo racional, o impulso racional que o homem tem de buscar em sua vida, de sentido, do que traz sentido para ele, é a felicidade.

A felicidade é a busca primeira e última do ser humano, ele nasce e vai em busca da felicidade e morre em busca da felicidade. Nesse espaço de tempo entre nascer e morrer, acontecem muitas variáveis e nessas variáveis ele pode ser muito mal-educado, mal preparado para lidar com o conceito de felicidade. Há quem acredite que felicidade é um chocolate. Ou seja, o estado de alegria, de euforia, se confunde com o estado de felicidade, mas felicidade é algo profundo que está na alma, enraizado.

Alegria são os fatores externos que nos proporcionam. Você fica alegre ouvindo uma piada, ganhando um presente, conhecendo uma pessoa, convivendo com uma pessoa, conversando com alguém, você, por vários motivos, no dia a dia tem esses momentos de alegria. E também as frustrações, e tê-las não te define como um ser frustrado.

Em uma percepção da filosofia é isso, o homem tem a busca interior inconsciente, busca a felicidade como a planta busca o sol, para se desenvolver. E vai se confundindo sobre o que é ou não felicidade, distorcendo tudo isso e pode fazer de sua vida uma grande derrocada ou sacar coisas durante sua trajetória e fazer grandes obras, grande história e deixar um grande legado.

Na perspectiva teológica, a felicidade é o estado de graça, é o encontro do homem com Deus. Ele encontra-se com Deus e encontra a felicidade divina, não há nada mais forte e profundo no homem, na alma humana, do que encontrar-se em estado de graça, um estado de felicidade espiritual, divina, celestial, dê o nome que quiser.

A felicidade espiritual, divina, celestial é aquilo que coloca o indivíduo em outro patamar de relação com a vida e com as coisas. A felicidade material, emocional, do homem que não está nesse ponto, está atrelada a coisas e pessoas. A felicidade celestial está atrelada ao espírito, à alma. Há pessoas em sua trajetória que ficam tão afetadas quando encontram um Mestre Espiritual que despertam nele o lapso de que encontrará a felicidade celestial, que têm a tendência de se isolar para viver aquilo com profundidade, viver aquilo da melhor forma. Não estou dizendo que isso seja correto, que eu vejo isso com bons olhos. Penso que pode significar uma fuga. Penso que o mais desafiador, o maior enfrentamento que tem na existência é viver em sociedade, é ter uma profissão, família, casamento, é gerenciar tudo isso e ficar feliz, não alegre, mas viver em paz.

Conseguir gerenciar tudo isso na sua vida, e tudo isso dentro de você, sendo feliz e proporcionando felicidade aos outros. Isso me parece ser altamente desafiador e altamente lapidativo, embora haja um maior risco constante em relação a isso.

Na religião cristã, a felicidade proveniente do estado de graça com Deus é a Boa Aventurança. No sermão da montanha Jesus Cristo sinaliza alguns tópicos que garantem ao indivíduo felicidade eterna ou felicidade divina, que é a Boa Aventurança. Bem-aventurado aquele que sinaliza e dá a dica, no final das contas: bem-aventurados aqueles que encontraram o amor. Porque se você não se conforma com a dor do outro é porque você tem amor ao outro, você ama a si, e ao se amar quando se tem um amor lúcido sobre si mesmo, amor-próprio latente sobre si, você quer que a sua volta esse amor também aconteça, essa boa vida também aconteça.

Bem-aventurados aqueles que despertaram para si, e uma vez despertos vivem no amor orientado pelo amor, por uma bússola. Se você despertou como eu, creio que seja o caso de você estar munido da sua bússola, que é o amor, então você é um bem-aventurado. Você encontrou o graal, o ouro que talvez tenha sido a motivação para você começar esse treinamento, pensando em dinheiro.

A Boa Aventurança, o amor, é o ouro. Viver em paz, em harmonia, é agindo diariamente na construção de algo relevante no seu legado, que impacta e positiva o seu meio, seu mundo, é o ouro. O resto é fluxo, construindo, acontecendo o tempo todo.

Você está no caminho de viver a experiência da felicidade, independente das intempéries, dos entraves, dos enfrentamentos que existirão. Independente da doença na família, de suas coisas mal resolvidas, você vê com clareza o Trono da Boa Aventurança, do amor, da vida de graça. Não é uma vida sem enfrentamentos, mas é diante deles estar em paz, diante das dores do mundo, buscar ser a solução em paz. Desejo, espero realmente que tenha sido grande, incrível e transformador na sua trajetória. Que a partir desse momento possamos estar conectados no Trono do Exu do Ouro, na fonte do amor que é Mãe Oxum, que é Deus, e possamos fazer fluir juntos, ser parte desse fluxo. Porque onde há ação do amor acontece uma reatividade sem controle. Em tudo o que você faz no amor acontece uma reatividade muito grande, tudo o que você faz no amor retorna para você em uma grande onda. Tudo que é baseado no amor cria um fluxo em cadeia altamente positivador.

O amor é ouro, a paz é ouro, a felicidade é ouro. Gratidão, Axé, Mojubá!

ORAÇÃO DE CONEXÃO COM EXU DO OURO

"Divino Criador, neste momento me curvo à Vossa Criação e Vossa Imanência presente em tudo e em todas as coisas deste Universo e peço permissão para acessar Vosso mistério.

Divina Mãe Oxum, Mistério da Criação, Senhora do Amor Divino, eu vos evoco e peço licença para acessar vossa Esquerda.

Divino Trono Guardião do Ouro, eu vos evoco e peço que me acolha em vossa dimensão, vibração e mistério.

Permita-me ser parte do seu fluxo e poder para que, desperto em consciência, eu possa nesta realidade ser um operador do despertar a minha volta.

Para que de minha boca fluam palavras e vibrações de construção, harmonia e solução.

Que minhas ações inspiradas por vossa emanação concretizem a prosperidade em minha vida e inspirem os que me cercam.

Que minha vibração e meu magnetismo se mantenham ancorados em vossa fonte, para que jamais eu represe seu fluxo e possa sempre partilhar de vossa magia em tudo que sou, faço, penso, verbalizo e realizo.

Em vossa presença meu espírito é ouro reluzente!

Em vossa manifestação minha mente é fonte abundante!

Em vossa atuação meu coração é amor, perdão e harmonia!

Em vossa concretização meu corpo é saúde e potência!

Minhas reverências, Exu do Ouro, Guardião da Prosperidade, eu lhe saúdo!

Laroyê Exu do Ouro, Exu do Ouro Mojubá!

Laroyê Exu do Ouro, Exu do Ouro Mojubá!

Laroyê Exu do Ouro, Exu do Ouro Mojubá!

Editora Planeta Brasil | 20 ANOS

Acreditamos nos livros

Este livro foi composto em Adobe Garamond Pro e Bliss Pro e impresso pela Gráfica Santa Marta para a Editora Planeta do Brasil em dezembro de 2023.